EVE ENSLER

JE SUIS UNE CRÉATURE ÉMOTIONNELLE

La vie secrète des filles à travers le monde

Traduit de l'anglais (États-Unis)
par Alexia PÉRIMONY

Traduction publiée avec l'accord de Villard Books, une collection de Random House Publishing Group, département de Random House, Inc.

Tous droits de représentation théâtrale réservés : L'Auteure est représentée par l'Agence MCR Périmony Renauld Associates Inc., alexia@nyc-mcr.com

© 2010 by 16th Street Productions, Inc.
Préface © 2010 by Carol Gilligan
Pour en parler ensemble © 2011 by Random House, Inc.

© Éditions 10/18, Département d'Univers Poche, 2011,
pour la traduction française.
ISBN 978-2-264-05553-8

Pour Colette et Charlotte

QU'EST-CE QUE LE V-DAY

Suite au succès mondial de la pièce *Les Monologues du vagin*, Eve Ensler a créé l'association V-Day en 1998. V-Day est un mouvement mondial présent dans plus de 140 pays de l'Europe à l'Asie, à l'Afrique et aux Caraïbes et dans toute l'Amérique du Nord visant à mettre fin aux violences contre les femmes et les jeunes filles et à sensibiliser l'opinion publique à ces problèmes. Le « V » de V-Day signifie Victoire, Valentin et Vagin.

En onze ans, le mouvement V-Day a levé plus de 85 millions de dollars et a atteint plus de 300 millions de personnes. V-Day, qui a fait partie des 100 meilleures associations caritatives élues par le magazine *Worth* en 2001 et du *Top Ten Charities* du magazine *Marie Claire* en 2006, a été cité en 2010 comme l'une des organisations de premier rang sur GreatNonProfits (un site de classement modial des organisations à but non lucratif).

Marquant une nouvelle expansion du mouvement V-Day, associant art et activisme, *Je suis une créature émotionnelle* rejoint désormais l'impressionnante liste d'initiatives pour les femmes, dont Eve Ensler est la pionnière, et pour les jeunes filles qui incarnent l'avenir du mouvement. À travers le nouveau programme V-Girls, les jeunes filles du monde pourront faire à leur tour entendre leur voix.

Pour plus d'informations :
www.vday.org
www.V-girls.org
facebook : emotional creature

SOMMAIRE

NOTE DE L'AUTEUR

Ces monologues ne sont pas des interviews. Ce sont des textes nourris par mes voyages à travers le monde, des événements dont j'ai été témoin, des conversations réelles et imaginaires. Certains d'entre eux ont été inspirés par un article, une expérience, un souvenir, un rêve, une image, ou un moment de douleur ou de rage.

PRÉFACE

Après avoir brisé un silence surprenant en encourageant les femmes à dire le mot « vagin » en public, Eve Ensler signe un nouveau recueil de monologues, destiné cette fois aux filles. Le « Chère Créature émotionnelle » qui inaugure son introduction est à la fois un cri du cœur et un appel à l'action. En tant que femme, elle connaît les pressions qui pèsent sur les filles pour qu'elles se taisent, pour qu'elles se comportent au mépris de leurs sentiments comme s'ils comptaient pour rien, pour plaire à tous sauf à elles-mêmes. Cette simple affirmation « Je suis une créature émotionnelle » résonne comme un défi à la manière dont les filles sont regardées mais pas vues, sermonnées mais pas écoutées, utilisées, abandonnées, violées, exploitées, mutilées et parfois tuées. Comme une femme revendique son corps, une fille qui revendique haut et fort ses émotions brise un silence et libère une vaste ressource d'énergie pure, une énergie qui peut tous nous inspirer à changer et à guérir le monde.

Pour compléter les faits rapportés dans ce livre, d'autres données méritent d'être considérées : durant l'enfance, les filles sont psychologiquement plus robustes et résilientes que les garçons, moins sujettes à la dépression, aux troubles de l'apprentissage et du langage, moins enclines à faire du mal aux autres ou à elles-mêmes. L'initiation des garçons à une virilité qui leur impose de bâillonner leur nature émotive, de sacrifier l'amour au nom de l'honneur et de nourrir une fausse idée d'eux-mêmes trouve son parallèle chez les adolescentes dans l'apprentissage de la distinction entre les bonnes et les mauvaises femmes, celles qu'on adore et celles qu'on méprise. Puisqu'une voix honnête est jugée stupide ou fantaisiste, puisque les filles sont contraintes d'intérioriser une misogynie forgée sur le schéma dominant du patriarcat, selon lequel être un homme signifie ne pas être une femme et signifie aussi dominer, une résistance s'éveille en elles, enracinée dans la nature humaine. Tel un corps sain, un esprit sain résiste à la maladie, et le fait que cet apprentissage advienne au moment de l'adolescence galvanise leur réticence. De là vient la puissance de leur voix à dénoncer, et mettre ainsi un terme à ce qui sinon se perpétuerait dans un silence sans fin. Je me souviens de ce jour où je me suis rendue au musée des Beaux-Arts de Boston avec un groupe de filles de 11 et 12 ans. On passait une semaine ensemble, à écrire et à faire des exercices de théâtre dans le cadre d'un projet destiné à renforcer la résistance saine et courageuse de ces filles. Dans le vestiaire du musée, tandis qu'elles déposaient impers et sacs à dos, je leur ai annoncé que nous allions faire du journalisme d'investigation : notre tâche était de découvrir comment les femmes étaient représentées dans ce musée. « Nues », a répondu Emma, sans hésitation. Une vague d'approbation gagna silencieusement et sans mal le groupe. Plus tard, quand je leur demandai d'écrire une conversation avec une femme du musée, Emma choisit une statue grecque, une femme sans tête et sans bras, introduisant au milieu d'un dialogue bien policé deux questions brûlantes : « Tu as froid ? » et : « Tu veux des vêtements ? » La réponse de la statue – « Je n'ai pas d'argent » – amena Emma à lui dire qu'elle connaissait un endroit où ils donnaient des vêtements : « C'est juste à l'angle. » Puis Emma et la statue quittaient le musée.

Les monologues de ce livre sont des modèles de résistance des filles. En voyageant à travers le monde pour représenter V-Day, le mouvement qu'elle a fondé pour mettre fin à la violence faite aux femmes et aux filles, Eve était sans cesse submergée par les adolescentes qu'elle rencontrait. Captivée par une énergie électrique qui risquait d'être détournée, elle a concentré son regard, son écoute d'écrivain pour absorber cette énergie et la transformer pour être dite et jouée par les filles. Habiles, drôles, irrévérencieux, choquants, les monologues donnent voix à ce que les filles savent. On entend le plaisir d'une fille à porter une mini-jupe et à sentir le vent contre ses jambes, sa crainte d'être grosse ou affamée, sa terreur de se retrouver vendue comme esclave sexuelle, son désir d'échapper à ceux qui, d'une façon ou d'une autre, que ce soit avec la meilleure ou la pire des intentions, dénient ou neutralisent sa nature émotionnelle.

Les dix années que j'ai consacrées à écouter des filles, à suivre leur développement, à aller avec elles à la plage et au musée, à écrire, à faire du théâtre avec elles ont été une vraie révélation. Des passages de mon journal rapportant des plaisirs révélés et des pertes cachées font resurgir les sensations viscérales de notre époque :

Ce matin sous la douche, je me rappelle ce lundi, cette expérience intense de plaisir, voir les filles à la plage – leur corps, leur liberté. Des corps de petits poissons entrant et sortant de l'eau. Courant sur la plage. Dansant, tourbillonnant. J'ai commencé à me souvenir de mon corps de 11 ans et à entrer dans ce corps. Sans réfléchir je me suis mise à courir, sereine, rapide comme le vent.

Dissimuler la perte sous les mots. Enjoliver par la beauté la déchirure de la perte. Une tristesse intime et un avertissement : Ne pas toucher. Je suis touchée tellement directement, tellement immédiatement par ces filles… J'agis sans entrave en leur présence, je parle sans hésitation, je trouve une liberté et un plaisir dont je me délecte… Renoncer à tout ça est comme affronter la tristesse de le perdre.

Mon travail avec les filles me ramenait à ce qui avait été perdu, à ce moment de liberté avant de devenir femme. Le son des voix des filles, à la fois familier et surprenant, me révélait à quel point moi et les autres femmes avions récrit nos histoires pour nous conformer à un récit que je sais fautif maintenant. Comme Anne Frank révisant son journal, j'avais tu mon plaisir à ma mère. Comme la jeune Tracy, 13 ans, j'avais fini par considérer une voix honnête comme stupide. Comme Iris, 16 ans, je craignais que « si je disais ce que je ressentais et pensais, personne ne voudrait être avec moi, ma voix serait trop forte ». Comme Iris, je savais « qu'il est nécessaire d'avoir des relations », et en même temps je réalisais que les relations que j'entretenais en taisant ce que j'étais, ce que je pensais étaient privées de toute signification.

Je suis une créature émotionnelle a été écrit pour les filles. Comme Eve le dit, c'est « un appel à questionner plutôt qu'à plaire ». C'est aussi un appel à rejoindre la résistance des filles à renoncer à ce que l'on est et à ce que sont les autres. La démocratie, à l'opposé du patriarcat, est enracinée dans la voix et non dans la violence, affûtée à travers la relation à l'autre. Qu'ils soient lus en silence ou joués sur scène, ces monologues portent en eux l'espoir de nous ramener au meilleur de nous-mêmes. Ils nous rappellent qu'il existe en nous une réserve d'énergie qui ne coûte rien et ne pollue pas, une source d'énergie qui attend d'être libérée. En appréhendant les forces qui se liguent contre sa libération, on réalise à quel point nous sommes prisonnières d'une fausse idée de nous-mêmes, d'une histoire de virilité et de féminité qui nous fait oublier que nous, les humains, nous sommes tous des créatures émotionnelles.

Carol Gilligan

INTRODUCTION

Chère Créature émotionnelle,

Tu sais qui tu es. J'ai écrit ce livre parce que je crois en toi. Je crois en ton authenticité, ta singularité, ta force, ton extravagance. J'aime quand tu te teins les cheveux en violet, quand tu remontes ta mini-jupe, ou que tu mets ta musique à fond et chantes en play-back les paroles par cœur. J'aime ton impatience et ta faim. Tu es l'une de nos plus belles ressources naturelles. Tu possèdes une force d'action et une énergie indispensables qui, libérées, pourraient transformer, inspirer et guérir le monde.

Je sais que l'on t'incite à te sentir stupide, comme si l'adolescence était une zone de turbulences. Nous avons pris l'habitude de te faire taire, de te juger, de te rabaisser, d'exiger. Et parfois même de te forcer à trahir ce que tu vois, ce que tu sais, ce que tu ressens.

Tu nous fais peur. Tu nous rappelles ce que nous avons dû taire ou ce à quoi nous avons renoncé, ce que nous avons abandonné pour rentrer dans la norme. En étant toi-même, tu nous pousses à nous questionner, à nous réveiller, à ressentir à nouveau. Parfois je pense que l'on prétend te protéger alors qu'en réalité nous nous protégeons de nos propres sentiments d'autotrahison et de perte.

Tout le monde a un avis sur ce que tu dois être : mère, père, professeurs, leaders religieux, hommes politiques, petits copains, gourous de la mode, célébrités, amies. Au cours de mes recherches pour ce livre, je suis tombée sur une statistique très perturbante : 74 % d'entre vous affirment être sous pression pour plaire à tout le monde.

J'ai beaucoup pensé à ce que signifie « plaire ». Plaire, exaucer les désirs ou la volonté des autres. Pour satisfaire aux diktats de la mode, nous nous affamons. Pour satisfaire les garçons, nous nous forçons quand nous ne sommes pas prêtes. Pour satisfaire les filles populaires, nous finissons par nous comporter mal envers nos meilleurs amis. Pour satisfaire nos parents, nous devenons des machines à réussir. Quand on veut plaire, comment rester fidèle à soi-même ? Comment faire pour savoir quels sont nos propres besoins ? Que ne doit-on pas sacrifier pour plaire aux autres ? Je pense que le souci de plaire rend le monde trouble. Nous perdons notre propre trace. Nous renonçons à proférer des slogans revendicateurs. Nous arrêtons de décider de nos vies. Nous attendons d'être sauvées. Nous oublions ce que nous savons. Nous rendons tout acceptable plutôt que vrai.

J'ai la chance de voyager à travers le monde. Partout je rencontre des adolescentes, des bandes de filles, plein de filles empruntant des sentiers pour rentrer de l'école, traînant aux coins des rues dans les grandes villes, bras dessus, bras dessous, riant, ricanant, criant. Des filles électriques. Je vois comment vos vies sont kidnappées, vos opinions et vos désirs ignorés et défaits. Je vois aussi combien tout cela détermine plus tard nos vies d'adultes. Tant de femmes que j'ai rencontrées, grâce aux *Monologues du vagin*, à *Un corps parfait* et à V-Day, essaient de ranimer ce qui a été étouffé ou détruit lorsqu'elles étaient plus jeunes. Elles luttent leur vie durant pour connaître leurs désirs, pour trouver leur pouvoir et leur chemin.

Ce livre est un appel à questionner plutôt qu'à plaire. Un appel à provoquer, défier, oser, nourrir ton imagination et ton appétit. Te connaître vraiment. Revendiquer qui tu es, t'engager. Ce livre est un appel à écouter cette voix à l'intérieur de toi qui pourrait vouloir autre chose que ce qu'on lui permet d'entendre, de savoir. C'est un appel à cette fille originelle en toi, la créature émotionnelle en toi, pour avancer à ton propre rythme, marcher à ton pas, porter tes couleurs. Une invitation à écouter ton instinct pour combattre la guerre, dessiner des serpents, parler aux étoiles.

J'espère que tu recevras ce livre comme une matière vivante, que tu t'en serviras pour identifier et surmonter les obstacles ou les pressions qui t'empêchent d'être une créature émotionnelle. Peut-être qu'après avoir lu ces histoires et ces monologues, tu auras envie d'écrire et de partager les tiens, de peindre le mur de ta chambre, de te battre pour les ours polaires, d'oser prendre la parole en classe, de découvrir ce qu'est la sexualité ou de revendiquer tes droits.

Lorsque j'avais ton âge, je ne savais pas comment vivre comme une créature émotionnelle. Je me sentais comme une extraterrestre. Je le ressens encore parfois. Je ne crois pas que cela ait grand-chose à voir avec le pays dans lequel j'ai grandi ou la langue que je parle. Dans ce livre tu rencontreras des filles de tous les horizons. Certaines vivent dans des villages isolés, d'autres dans de très grandes villes ou des banlieues chics. Certaines se demandent si elles pourront se payer les dernières Ugg violettes, certaines se demandent si elles retourneront un jour chez elles après deux ans de captivité et d'esclavage sexuel. Certaines se demandent si elles seront capables de tuer l'ennemi, certaines sont au bord du suicide, certaines dans l'attente désespérée du prochain repas, certaines incapables d'arrêter de s'affamer. Des filles du Caire, Kwai Yong, Sofia, Ramallah, Bukavu, Narok, Westchester, Jérusalem, Manhattan, Paris. Chacune d'entre elles, chacune d'entre vous vit sur la même planète, maintenant. Je pense que, quel que soit le pays, la ville ou le village dans lequel vous vous trouvez physiquement, vous habitez un même paysage émotionnel. Vous venez toutes de la terre des filles. Vous y êtes nées avec cette conscience que votre cœur sincère veut manger, goûter, connaître, défier. Puis les « grandes personnes » imposent leurs règles, leurs commandements. Ils vous apprennent à vous diminuer, pour leur propre confort. Ils vous apprennent à ne pas revendiquer. Ils vous apprennent à bien vous tenir.

J'ai grandi maintenant. Je connais enfin la différence entre faire plaisir et aimer, entre obéir et respecter. J'ai mis tellement d'années à accepter ma différence ; à être vivante, intense. Je ne veux pas que tu aies à attendre aussi longtemps. Tout simplement.

Love

Eve

LES FAITS

Ton poumon gauche est plus petit que le droit pour laisser de la place à ton cœur.

PARTIE I

VOUS, DITES-MOI COMMENT ÊTRE
UNE FILLE EN 2011

Questions, doute, ambiguïté et insoumission
sont devenus je ne sais pourquoi moins virils.
Des maniaques autoritaires sont
chefs d'État, dictateurs et présidents.
Tous plus vertueux les uns que les autres.
Ils bombardent des villes
ils tuent des hommes
pour des raisons « humanitaires ».

Les gens ne possèdent pas l'eau de leur propre
     village
et certainement pas les diamants et l'or.
Par millions contraints à dîner de poussière et
     d'ordures
quand des hommes d'affaires russes et des stars
     de cinéma
s'achètent des villas à 500 millions d'euros sur
     la Côte d'Azur.

Les abeilles ont cessé de faire du miel.
On fore partout où il ne faut pas.
Les États-Unis, la Russie, le Canada, le Danemark et
     la Norvège revendiquent l'Arctique

mais aucun d'entre eux ne se préoccupe des ours
        polaires qui se noient.
On prend nos empreintes, on photographie
        nos papiers, nos dents.
Big Brother est dans nos téléphones, nos iPod, nos
        ordinateurs.
Personne pourtant ne se sent plus en sécurité.
Des marchands de bien-être « New Age »
se révèlent d'anciens criminels de guerre sous leur
        barbe.
Et le pape arborant
son étole d'hermine
déclare aux homosexuels
qu'embrasser les gens qu'on aime est le mal absolu.
Une candidate à la vice-présidence des États-Unis
croyait au créationnisme
mais pas au réchauffement climatique.

Pourquoi est-ce que tout le monde a bien plus peur
        du sexe
que des missiles Scud ?
Et qui a décidé que Dieu ne se sentait pas concerné
        par le plaisir ?
Et si la famille nucléaire hétéro est si géniale que ça
comment se fait-il que tout le monde la fuie
ou dépense les économies d'une vie entière
pour s'asseoir dans une pièce avec un étranger et se
        lamenter ?

La guerre d'Iraq a coûté pratiquement 3 000 milliards
        de dollars.
Je ne sais même pas compter jusque-là
mais je sais
que l'argent aurait pu

aurait
mis un terme à la pauvreté en général
et par là au terrorisme.
Comment se fait-il que nous ayons l'argent pour
    tuer
mais pas d'argent pour nourrir ou soigner ?
Comment se fait-il que nous ayons l'argent pour
    détruire
mais pas d'argent pour les arts et les écoles ?

Les fondamentalistes ont désormais
des armées privées qui coûtent des milliards de
    dollars.
Les talibans sont de retour
mais ils n'étaient jamais partis.
Les femmes sont brûlées, violées, matraquées,
    vendues,
affamées et enterrées vivantes
et ne savent toujours pas qu'elles représentent
    la majorité.

L'eau est pratiquement épuisée
mais dans le désert frappé par la sécheresse
les golfs sont verts et luxuriants
et les piscines emplies d'eau
pour la douzaine de riches qui pourraient décider
    de venir.

Des célébrités adoptent en terres lointaines des
    bébés triés sur le volet.
Leurs billets d'avion coûtent plus
que l'argent gagné par les parents
en une année.
Pourquoi ne pas leur donner ?

L'esclavage est de retour
mais il n'avait jamais disparu.
Demandez à celui qui a connu le fouet
combien cet héritage est profond.
6 millions de morts au Congo
et jamais une ligne aux infos.
et ne me dites pas que cela n'a rien à voir
avec la couleur
et les minéraux.

Les pauvres anonymes meurent les premiers
D'ouragans
Honte
Tsunamis
Radiation
Pollution
Inondation
Et négligence.
De riches anonymes
installent des portails électrifiés
dans leurs superbes résidences privées.

Tout le monde fait du « profit »
et organise de super fêtes
tape-à-l'œil
pour que les riches aient le plaisir de donner
une toute petite miette de l'énormité
        qu'ils possèdent.
Mais personne ne veut vraiment changer
        la moindre chose.
Si on le veut vraiment
il faut renoncer à quelque chose
genre tout
mais alors ceux qui ont n'auraient plus,

et alors qui seraient-ils ?
C'est bien trop compliqué
donc ils font des chèques
et continuent leur vie.
Vendre des devises.
Rendre la révolution profitable.
Les groupes possèdent déjà tout
même nos jeans troués, nos cartes mémoire et
      la pluie.
Pourquoi tant de femmes de pouvoir ressemblent à
      Margaret Thatcher
et agissent plus fermement encore ?
Pourquoi personne ne se souvient de rien ?
Pourquoi les gens riches et mauvais
reçoivent plein d'argent pour faire des discours
et les gens pauvres et mauvais sont torturés
et en prison ?
Y a-t-il un responsable ?
Ou cela va-t-il continuer jusqu'à l'explosion
ou la dissolution ?
Si nous pouvons faire quelque chose
pourquoi ne le faisons-nous pas ?
Qu'en est-il de la fureur ?
Qu'en est-il de l'exactitude
ou de la responsabilité ?
Qu'en est-il de l'humilité ?
Qu'en est-il de la gentillesse ?
Où sont les ados qui se rebellent
plutôt que de consommer ?
Où sont les ados qui s'embrassent
au lieu d'être blogueurs et menteurs ?
Où sont les ados qui manifestent
et refusent
au lieu d'exploiter et d'utiliser ?

Je veux vous toucher en vrai
pas vous trouver sur YouTube,
Je veux marcher à vos côtés dans les montagnes
pas devenir votre amie sur Facebook.
Donnez-moi une chose en laquelle je puisse croire
qui ne soit pas un nom de marque.

Je suis seule.
J'ai peur.
Des filles plus jeunes que moi taillent des pipes
dans des salles de cours
et ne savent même pas que c'est du sexe.
Elles veulent juste être populaires
et obtenir un peu de respect.
La plupart des filles de mon âge avalent des
        médicaments
ou restent au lit
mangent ou sont affamées
se font refaire le nez ou poser des implants
ou exciser
ou twittent à l'infini
ou se voilent
ou désespèrent de trouver un moyen
de s'éveiller sans feindre
de vivre sans craindre
d'être sérieuses
d'être vraies
de songer à aimer quelqu'un
quand c'est voué à l'échec.

Vous, dites-moi comment être une fille en 2011

Bougeons-nous

si tout s'effondre.
Parlons-en
combattons
changeons
il n'y a rien à quoi se raccrocher
si tout est déjà mort.
C'est à nous.
C'est nul mais c'est comme ça.
C'est toi et moi, baby.

ACCEPTEZ-MOI
Banlieue, États-Unis

J'y crois pas. Je déteste quand elles font ça.

« Asseyez-vous, taisez-vous. Arrêtez de me mettre la honte. S'il vous plaît ! »

Pas de panique !

Je ne dis pas ça tout haut. Sûrement pas. Seulement dans ma tête. Ce sont mes amies... Enfin je crois.

« J'y crois pas. S'il vous plaît arrêtez. Vous êtes vraiment immatures. »

Je déteste quand tous ces gens me regardent.

Eux non. Ils se la ramènent toujours. Ils ne sont pas aussi sûrs d'eux quand ils sont seuls. Mais en bande, ils sont infernaux !

C'est sans espoir. Je ne peux pas suivre. J'ai toujours un Marc Jacobs ou un Juicy Couture de retard.

Il y a Julie.

« Salut salut. » Bisous bisous.

Elle ne peut pas me voir. Regarde-la mater mes ex-super-pompes-total-périmées. Je voudrais que mes pieds soient des feuilles. Soufflées par le vent. J'ai acheté les bottes cavalières en cuir marron comme tu me l'as dit. Même si je suis allergique aux chevaux et que je n'avais pas l'argent. Ou plutôt ma mère ne l'avait pas. Elle est secrétaire intérimaire et parfois on ne l'appelle pas pendant des semaines. J'étais comme hystérique dans le magasin de chaussures. Au bord de l'explosion. Ma mère avait tellement la honte qu'elle a payé.

Mais elles sont passées à autre chose juste après. Julie dit que les bottes cavalières font trop « pré-Britney Spears ». Maintenant, il n'y en a plus que pour les Ugg violettes. Ma mère ne veut même pas en entendre parler. Elle ne comprend pas. Elle remet systématiquement en cause mon avis. J'veux dire c'est à cause d'elle si je ne peux pas suivre. Je déteste ma mère et je déteste encore plus ces bottes cavalières marron qui me font mal. Pour être honnête je ne les aimais pas dès le début. Maintenant j'ai l'air d'une pauvre fille sans son poney.

J'y crois pas, Julie ne s'arrête vraiment jamais.

« Ferme-la, O.K. ? J'porte des anneaux comme tu m'as dit et le… Tu vas arrêter de me mater. »

Pas de panique. Je ne dis pas ça tout haut. Seulement dans ma tête. Ce sont mes amies… Enfin je crois.

Maintenant Julie déteste tout chez moi. C'est arrivé hier. J'ai complètement déconné. J'ai été accidentellement sympa avec Wendy Apple en public. J'ai oublié et je l'ai prise dans mes bras juste devant elles. Je me suis vraiment égarée. Wendy est trop ringarde. Elle a une coupe de sauvage, sa famille vit dans cette maison hideuse et elle a ce rire tellement stupide. Elle ne peut pas s'en empêcher et elle s'en fiche totalement. Pour être franche, je crois que j'aime bien Wendy en fait. Enfin, je l'admire. Elle est plutôt sarcastique et dessine ces images incroyables d'anges vulgos qui tombent de l'espace intersidéral. Mais ça n'a rien d'anormal.

Julie dit qu'elle n'est pas comme nous. Enfin, pas comme *elles*. Julie m'a vu prendre Wendy dans mes bras et m'a jeté son regard devant toute la bande comme si j'étais folle ou pathétique et puis elle m'a tourné le dos. Les autres aussi. De vraies suiveuses.

Alors j'en ai voulu à Wendy. Je me suis un peu écartée puis j'ai tourné la tête et lui ai dit de rester loin de moi. Elle m'a regardée, en état de choc, comme si j'étais un alien. Puis elle s'est mise à pleurer. Je me suis sentie assez mal car je l'aime plutôt pas mal en fait. Mais du coup Julie m'aimait bien à nouveau. Après Julie m'a donné le même rouge à lèvres gloss que Beyoncé portait aux MTV Music Awards. Julie l'avait seulement utilisé pendant deux semaines.

Mais elle se méfie. Comme toutes les autres. Ça y est, le mot d'ordre est lancé. C'est à cause de mes stupides bottes et de mes seins. Enfin, de leur platitude. Julie est bien foutue et c'est pour ça que les mecs les plus canon lui courent après. Elle et Bree commandent la bande. Elles ne vont nulle part l'une sans l'autre. Même pour pisser. Je les ai vues aller aux toilettes ensemble. Elles rigolaient vraiment fort et on se demandait toutes si c'était de nous qu'elles rigolaient. Wendy m'a dit qu'elles portaient des soutiens-gorge rembourrés et que c'était pour ça qu'elles plaisaient autant aux mecs. Toujours est-il que Julie est naturellement jolie et très mince. Son ventre est intégralement plat et abdomisé comme Gwen Stefani et elle a un sourire à la « j'y peux rien si j'suis parfaite ». Les cheveux de Bree sont un peu frisés mais elle a une poitrine parfaite et cette voix trop cool, intense comme celle d'Hannah Montana et elle a même pas besoin de se forcer. Elle est née comme ça. Bree m'a intégrée à la bande parce que je l'avais aidée en contrôle d'histoire. Elle regrette maintenant, c'est sûr. Je suis la contaminatrice. Le virus de la looseuse. Il se répand hyper vite et une fois qu'on l'attrape, on est moche et mort pour toujours.

J'y crois pas. Regarde ça. Elles ne peuvent même pas aller au distributeur l'une sans l'autre. T'as vu comme elles ont l'air heureuses ?

Je ne devrais pas vous dire cela. Je brise la confidentialité. Complètement illégal. On a signé ce pacte de bande, trop cool, comme le font les assistants personnels d'Angelina Jolie.

Mais parfois j'ai envie de dire :

« Grandissez. Soyez vraies. Arrêtez de faire semblant. Laissez-moi tranquille. »

Pas de panique. Je ne dis pas cela tout haut. Seulement dans ma tête. Ce sont mes amies… Enfin je crois.

Mais la raison pour laquelle elles détestent tellement Wendy Apple c'est parce que c'était une des leurs avant. Encore plus au top que Bree. En vrai, elle aurait pu être une Julie. C'est carrément révolutionnaire ce qu'elle a fait. C'est elle qui s'est barrée en plus. Elle a dit que c'était stupide. Et elle a répété leurs secrets à tout le monde. Même les filles les plus moches et grosses savent pour les soutiens-gorge rembourrés. Julie et Bree auraient voulu lui foutre un procès. Mais les lois de la bande n'ont pas de poids devant la cour suprême du collège.

J'y crois pas. Julie et Bree sont collées à Amber. C'est à cause de son grand frère avec lequel Julie a commencé à sortir. C'est grâce à Amber, alors maintenant Julie est en admiration totale devant elle. Enfin je sais pas, on aurait pu croire qu'Amber serait un peu gênée. Il y a tout juste deux semaines Julie et Bree l'humiliaient dans les vestiaires, toute la bande avait fait cercle autour d'elle sous la douche alors qu'Amber était nue et on se moquait toutes de son corps.

Vous savez en cinquième Wendy m'avait écrit un petit mot en disant qu'elle ne pleurait pas pour elle-même. Elle disait qu'elle pleurait pour moi parce que j'étais gentille au début et que maintenant j'étais devenue un cas désespéré. Je ne suis pas drôle ou douée comme Wendy, moi. Je suis tragiquement médiocre. Pas un seul truc qui se détache un peu. Je n'ai rien pour moi... à part elles.

Hé, qu'est-ce qui se passe ! Il n'y a plus de place à table. Tiffany devait arriver la première et me garder une place. Mais Tiffany est assise entre Julie et Bree.

Et merde, matez mes bottes – tellement ridicules. Et mes cheveux, je les déteste. Ma mère n'est même pas capable de trouver un boulot de dactylo. Je suis juste une pauvre fille pathétique de classe moyenne.

« S'il vous plaît ne faites pas ça. Faites-moi une place à table. Tiffany, ma place ? Ne m'élimine pas. Tiffany, arrête de faire comme si je n'étais pas là. Oh regardez, regardez. Julie est en train de tresser ses cheveux. Alors comme ça tu es copine avec Julie maintenant. Tiffany ! Tiffany retourne-toi ! Je suis là. Je ne suis pas morte. Quoi ? quoi ? »

Bree leur fait signe de m'ignorer. Elles me balancent l'hymne de la bande.

« Ne faites pas ça. Bree, tu te souviens : je t'ai aidée pour le contrôle. Je t'ai donné les réponses, j'ai risqué ma peau. Écoute. Je n'aime pas ces bottes cavalières. Je les ai achetées pour toi. Je sais que t'as été très sympa de m'intégrer à la bande même si je suis complètement insignifiante. Je sais que je n'ai pas de poitrine. Je m'achèterai les Ugg. Promis. Je ne serai pas sympa avec les gens que tu détestes. Je ferai tout ce que tu veux. S'il vous plaît. S'il vous plaît laissez-moi juste m'asseoir. Faites-moi de la place sur le banc. Laissez-moi rester. Laissez-moi rester. Laissez-moi rester. Laissez-moi rester ! »

Oh mon Dieu. Tout le monde regarde. Je dois vraiment hurler. C'est dans toute la cafétéria et pas seulement dans ma tête.

(*Crise*)

« Je n'y arrive pas, Julie. J'arrive pas à suivre. Je ne serai jamais invitée. Je ne sortirai jamais avec un mec. Mes cheveux sont tout plats et secs comme ma poitrine. Je ne suis qu'un tas de merde merde merde. Laisse-moi rester. Laisse-moi rester. »

(*Elle s'effondre.*)

(*Elle se réveille.*)

Je me réveille chez Wendy. Il y a de l'encens parfumé aux fruits qui brûle. Pomme, je crois. Ouais. Wendy Apple. Je ne me souviens pas comment je suis arrivée là. Wendy est assise à côté du lit, elle me dessine, un ange en transition. Elle dit que j'ai touché le fond. Que ça a l'air terrible maintenant. Mais j'ai de la chance que ce soit arrivé si tôt. Elle dit qu'elle sera mon amie si j'arrête de vouloir être populaire à tout prix. Elle dit que d'autres filles ont du mal à s'intégrer, que je les aimerai plus. Elle dit qu'il y a un autre monde et que la porte est ouverte. Elle dit qu'elle peut m'aider.

Wendy rigole, trop fort. Je veux être belle. Wendy est incroyablement gentille. Je veux être mince. Wendy est loin de tout ça. Et je ne suis personne. Wendy est près de mon lit et elle me dessine.

QU'EST-CE QUE TU N'AIMES PAS DANS LE FAIT D'ÊTRE UNE FILLE ?

Les filles ne peuvent décider de rien
Les garçons font ce qu'ils veulent
Mon frère est adoré,
Je suis ignorée
Mes seins, les gens qui parlent de mes seins
Les gens qui pensent que tu ne peux rien
        accomplir
Mes seins, tout a changé avec mes seins
Le sang, les crampes, sept jours
Les gens pensent que tu es faible
Une fille peut tomber enceinte
Il faut se coiffer
Il faut s'épiler
Laver et repasser
Plus de risques d'être violée
S'occuper des maris, des enfants
Les filles ne peuvent pas travailler
Même si elles sont instruites.

LES FAITS

Au collège, 1 fille sur 5 dit ne pas connaître dans son entourage au moins 3 adultes vers lesquels se tourner en cas de problème.

MAUVAIS GARÇONS
New York, New York

J'aime les mauvais garçons
C'est le danger
Il va en pension
Il est un peu ténébreux
Un peu comme moi
On a tous les deux des problèmes
Je le cache mieux que lui
Je me coupe
En essayant de trouver pour quoi je suis douée
Mon père a réussi
La barre est haute
Très souvent j'échoue
Je ne suis pas celle qu'ils veulent que je sois
Ma mère veut une famille parfaite
Je ne crois pas en la perfection
La perfection dans le monde de ma mère :
Partout des A
Super mince
Être intelligente et heureuse
Vraiment parfaite en tout
Je ne sais pas qui je suis
Je me coupe
J'essaie de contrôler

Tout me tombe dessus
C'est devenu une libération

J'ai donné à ma mère un poème
Elle m'a envoyée chez le psy
Mon psy
m'a donné un élastique
pour mettre à mon poignet
Au lieu de me couper je me fouette

Maman veut que je sois mannequin
Elle me pèse tous les jours
Elle se pèse deux fois par jour
J'ai commencé à me faire vomir
pour qu'elle me fiche la paix
Ma meilleure amie prend de la Ritaline pour maigrir
Tout le monde fait semblant d'être hyperactif
Pour avoir plus de temps aux exams
et réussir mieux
et aller dans une des facs de l'Ivy League[1]*
Je me sens complètement seule au monde
Les choses que ma mère aimerait changer en moi :
Je suis désordonnée
Je porte de grosses bottes en été
J'ai des vêtements grunge et vintage
J'écoute de la musique bizarre à fond
Je me sens proche de Sylvia Plath
J'ai coupé moi-même mes cheveux
J'ai taillé ma frange en pièces
Elle a flippé
Elle voudrait que je porte des pulls Ralph Lauren

* Toutes les notes sont en fin de volume.

Mon copain a vécu des moments difficiles
Il a son propre blog
Hier il s'est fait viré
Il a tagué une bombe sur le mur de sa chambre
Ses parents sont divorcés
Il déteste son nouvel appartement
Il est très en colère
En colère contre son père d'avoir quitté sa mère
En colère contre ce nouvel endroit débile où ils
      habitent
C'est pas le garçon le plus beau
Mais il a des problèmes
Comme moi.

CE QUE J'AIMERAIS POUVOIR DIRE À MA MÈRE

Je ne te connais pas
Je suis enceinte
Écoute-moi
Je suis lesbienne et je ne suis pas le diable
Tu peux me faire confiance
Je sais que tu es malheureuse
Je ne veux pas continuer à m'occuper de toi
Est-ce que tu aimes le sexe ?
Tu le fais souvent ?
Pourquoi tu détestes ton corps ?
Ne lis pas mon journal
Lis mon journal
Tu me trouves intelligente ?
Pourquoi tu ne me le dis jamais ?
Tu es mon modèle
J'aimerais que tu aimes papa
Papa me manque
Je veux que tu sois heureuse

LES FAITS

Malgré de nombreuses études, il n'est à ce jour pas prouvé que prôner l'abstinence comme seul programme d'éducation retarde l'activité sexuelle des adolescents. Par contre, une étude récente montre que ce diktat de l'abstinence dissuade les adolescents sexuellement actifs d'utiliser des contraceptifs, augmentant ainsi les risques de grossesses non souhaitées et de MST.

6 adolescents américains sur 10 ont eu un rapport sexuel avant de quitter le lycée et 730 000 adolescentes seront enceintes cette année.

CE N'EST PAS UN ÊTRE,
C'EST UN PEUT-ÊTRE

(Une adolescente qui suce son pouce)

Mon copain m'a dit d'arrêter de sucer mon pouce.
Il trouve que c'est bizarre et que ça fait bébé.
Je n'ai jamais pensé à un bébé.
C'est arrivé sans prévenir
et c'était pas vraiment une super sensation.
Bon, c'était presque agréable.
Mais il (Carlos) s'est arrêté
juste quand ça commençait pour moi.
Je savais que je ne devais pas le faire.
Je pratiquais l'abstinence
mais franchement je ne savais pas vraiment
        comment m'y prendre.
Parce qu'une fois qu'on s'embrasse...

Je suis tout le temps fatiguée.
Ma mère pense que je me drogue.
Je ne pourrai jamais lui dire.
Elle est super catho.

Parfois je l'imagine comme une nouvelle petite copine
et on pourrait parler de plein de trucs

et peut-être même qu'un jour elle pourrait m'aider.
Mais c'est vraiment dans longtemps
pour le moment je n'ai même pas de boulot
    ni la moindre idée
de ce que je pourrais faire.

C'est pas comme si j'allais m'en prendre à lui.
Je pourrais juste l'enlever.
Je ne lui ferais pas de mal,
juste le mettre autre part.
Ce n'est pas vraiment une personne.
C'est un problème
qui ne fait que grossir et grossir.

Ma copine Juicy m'a dit de faire ce qui était bien.
Imagine, elle me dit, si ta mère t'avait fait ça.
Eh bien, au moins je n'aurais pas ce problème qui
    grossit à l'intérieur de moi
et je ne n'aurais pas envie de me tuer.

J'aime l'école.
Je veux être quelqu'un d'important.
Je l'ai dit à Juicy, ce n'est pas un être.
C'est un peut-être.

La nuit dernière j'ai rêvé que je le prenais
je le sortais pour le regarder.
C'était vraiment mignon, pas plus grand
    que mon ongle de pouce.
Ça ressemblait à ces stickers que je mets sur mon
    agenda
avec le smiley jaune.
J'ai essayé de le rentrer
mais il y avait cette infirmière.

Elle ressemblait à Jennifer Lopez
sauf qu'elle avait des cheveux vraiment moches
comme les miens.
Elle était horrible et elle m'a dit
qu'il était trop tard
et d'abord pourquoi je l'avais sorti
ça ne me regardait pas.
Ça veut peut-être dire que le bébé est mort.
Ça me rend triste
et un peu soulagée.
Je veux dire j'aimerais la rencontrer.
Je pense qu'elle aurait mon visage.
J'espère qu'elle n'aura pas mes cheveux et mes cuisses.

Je ne connais même pas Carlos si bien que ça.
Enfin il a des fringues canon
et il connaît tous les rappeurs –
enfin les chansons.
Mais il pourrait y avoir des fous dans sa famille
et alors ce problème deviendrait une personne folle
et alors je devrais passer ma vie entière
à en prendre soin et à m'inquiéter qu'il ne finisse pas
        en prison
ou à payer un loyer pendant qu'il passerait ses
        journées, hagard, à manger des Big Mac.

Ma mère dit
si tu prends une vie tu vas en enfer.
Mais je suis déjà en enfer.
Je ne sais même pas si j'aime les bébés.
J'aime les vêtements pour bébés.
Ils sont tout doux et tout, et les petites chaussures
        pour bébés
et les petits bonnets.

Je pourrais l'habiller toute mignonne
mais ensuite elle se mettrait à pleurer
elle ne s'arrêterait pas de pleurer
et je n'aimerais vraiment pas ça.

C'EST QUOI UNE FILLE BIEN ?

Elle ne parle jamais avec un garçon
A des principes
Dit la vérité même si elle dérange
Respectable
Ne discute pas
Polie
Calme
Elle amène ses devoirs avec elle
Ne s'écarte pas du droit chemin
Suit ses parents sur tout
Même si elle n'est pas d'accord
Va à l'église tous les dimanches
Ne sort pas le week-end
N'en sait pas plus que de besoin
Pose des questions même lorsqu'elle connaît
    les réponses

LES FAITS

En Afrique, chaque année, près de 3 millions de filles risquent de subir une mutilation génitale. Elles sont plus de 8 000 par jour.

NE FAIS PAS ÇA
Le Caire, Égypte

Ne regarde pas par la fenêtre
Ne parle pas aux autres filles
Ne sors pas
Ne porte pas de pantalon moulant
Ne porte pas de pantalon tout court
Mon père me chasse du nid
Ma mère me garde à l'intérieur
Ne crie pas
Ne parle pas
Nettoie. Frotte. Range.
N'attends pas de félicitations
Ne traîne pas
Ne sors pas
Ne vois pas Rania
Le frère de Rania a voulu te demander en mariage
Ne parle à aucune fille pendant que tu vends des gâteaux
Ne sois pas longue
Ne dis pas non
Il est temps que tu te fiances
Ne va pas sur le balcon
Ne va pas aux réunions d'orientation
Ne va pas tard à la pharmacie toute seule
même si tu es malade

Ne parle pas avec tes amis
Ne t'inquiète pas c'est une visite de routine
Ne résiste pas, le rasoir...
Réveille-toi
Ne pleure pas, il fallait qu'il le coupe
Ne le cherche pas
Ça t'aurait rendue folle
et incontrôlable.

Mon père déteste les filles
Il dit qu'avant on les enterrait
À la naissance
Aucune valeur
Aucune personnalité
Ce n'est pas ta maison
Tu ne peux pas sortir
Nettoie. Frotte. Range.
Ne rêve plus
Ne va pas sur le balcon
Ne perds pas ta virginité
Ne regarde pas par la fenêtre
Ma mère me garde à l'intérieur
Mon père me chasse
Mon frère me frappe
Le docteur me coupe
Ne fais pas ça. Ne fais pas ça.

Je veux apprendre à lire
pour pouvoir lire le Coran
lire les panneaux dans la rue
connaître le numéro du bus
que je devrai prendre
quand je quitterai un jour cette maison.

TU PRÉFÈRES (I)

(Obscurité. Deux filles sont allongées par terre, une simple lampe de poche.)

FILLE 1
Tu préfères être seule ou avec un mec qui bégaie ?

FILLE 2
Pourquoi tu veux toujours faire ça ?

FILLE 1
Réponds c'est tout. Tu préfères être avec quelqu'un de connu qui te plaque ou ne jamais être avec quelqu'un de connu du tout ? Tu préfères qu'on te traite de salope ou de grosse ?

FILLE 2
C'est débile comme jeu.

FILLE 1
Réponds c'est tout.

FILLE 2
Ces questions sont débiles.

FILLE 1
Tu préfères être aveugle, sourde ou muette ?

FILLE 2
Aucune des trois.

FILLE 1
Tu préfères tomber enceinte par accident ou te faire plaquer ?

FILLE 2
En général, ça arrive en même temps.

FILLE 1
Tu préfères qu'on te traite de gouine ou de pétasse ?

FILLE 2
Gouine, sans hésitation.

FILLE 1
O.K., je t'en donne une sympa parce que tu as répondu. Tu préfères être la plus brillante ou la plus belle ?

FILLE 2
Les deux.

FILLE 1
Choisis.

FILLE 2
La plus sarcastique.

FILLE 1
Tu préfères contracter le VPH[2] ou transmettre le
VPH ?

FILLE 2
Pff !

FILLE 1
Réponds !

STÉPHANISÉE

J'ai été élevée dans la religion catholique
J'ai trouvé le Christ
Puis j'ai trouvé Stéphanie
Je trouve toujours une chose bien
Puis je trouve quelque chose de bien mieux.
Je ne suis pas homo
Je ne suis pas hétéro
Je suis stéphanisée.
Je ne faisais jamais rien sans elle
Je jouais à la poupée avec elle
Je tenais sa main tout le temps
Plus personne d'autre ne comptait autour
Elle portait des sandales en plastique
Elle avait de longs cheveux noirs
Elle détestait le kickball
Je détestais le kickball
Elle adorait le chewing-gum à la cannelle
J'adorais ça aussi
Une fois quand j'étais dans sa chambre
J'ai fouillé dans ses tiroirs
J'ai volé son T-shirt
Il était doux et il sentait comme elle
Rien n'était bien sauf si ça lui plaisait
Rien n'était amusant sauf si elle le faisait avec moi

Elle disait qu'il fallait donner son argent à tous ceux
    qui en ont besoin.
Elle disait que c'était important de s'entraîner à
    mourir
On s'allongeait en retenant notre respiration
Elle disait qu'on devrait s'entraîner à embrasser
Elle me disait de mettre ma langue dans sa bouche
Ça a meilleur goût quand on prend son temps
Elle disait qu'on peut seulement aimer une personne
si c'est une amie
Je ne suis pas homo
Je ne suis pas hétéro
Je suis stéphanisée.

LES FAITS

Des études ont montré que les filles qui pratiquent un sport au lycée sont moins sujettes à des comportements sexuels à risques tels qu'un nombre élevé de partenaires, le non-usage ou le mauvais usage de contraceptifs, ou encore des rapports sexuels sous l'influence de l'alcool ou de drogues.

Le phénomène s'explique en partie par une initiation sexuelle plus tardive mais aussi par des dynamiques psycho-sociales : une confiance en soi plus affirmée, une image du rôle de la femme moins stéréotypée et/ou une volonté plus affirmée d'éviter une grossesse précoce.

MOUVEMENT VERS LE PANIER

Il y a un coup de sifflet
et je sais que je dois
bouger, commencer à dribbler
Coup de sifflet
La balle dans mes mains
me brûle
L'horloge tourne
Je commence mon voyage sur le terrain
le long de cette allée dans mon cerveau
Chaque partie
je slalome d'un bout à l'autre
Ce ne sont pas les autres filles
qui me bloquent
Je suis rapide
Je sais bouger
Des obstacles bien plus mortels
me tiennent loin du panier
Passe aveugle
Reprise
Dribble croisé
Elles sont deux à me marquer
à l'intersection
Couleur
Fille

Fille
Couleur
Elles se liguent contre moi
Pas sûre de connaître mon camp
si je suis l'une
ou les deux
ou quelque chose d'autre
comme pauvre
ou peut-être tout
ou peut-être rien
ou peut-être
juste la balle qui brûle mes mains
juste esquiver, lancer, dribbler
le long du terrain
Chaque panier défie les attentes
parce que rien n'est jamais ce que l'on attend
même s'ils attendent qu'on joue au basket
mais pas moi
pas une fille
même si je suis grande

Avec quelle partie de mon corps je fais alliance ?
Quelle partie j'ignore ?
À quel moment ?
Quelle partie est hors jeu ?
Quel groupe ça va déranger ?
Quel groupe je représente ?
Je suis une athlète
Une fille avec des jambes fortes
et des bras
Je m'entraîne
Je suis aussi l'enfant
d'une mère dominicaine
et d'un père noir

donc je suis noire
enfin marron
marron et noir
cannelle
latina
indienne
et fille
Un tissage croisé
Qu'y a-t-il derrière
Quelles histoires
Quel passé
Quels nœuds autour de mon cou
Quelle scolarité
Quelle discrimination positive
Quels garçons en rage du quartier
Quels champions
Quelle volonté de gagner
Quels présentateurs à la télé
Qui des Espagnols Français Américains
ont envahi nos terres
Oyez
Ces bras forts
Ces cheveux crépus
Cette horrible lesbienne musclée
Qui n'aurait jamais d'homme
Postracial
biracial
non racial
multiracial
Je manque de trébucher et de tomber sur le ballon

La terre volée
Les corps enchaînés
Les Taïnos qu'ils ont tués

avec leurs maladies de Blancs
Indiens
Africains
Femmes liées et violées
Jambes
Quel sang qui court
Mon sang qui bat
Quel sang je fuis
ou je défends trop vaillamment
Quel président
Quels défenseurs morts des droits civiques
Quel pays
Quelle équipe
Quel droit ai-je
Pour qui je me prends
Quel est cet héritage qui ne s'achève jamais
Et Katrina
Et les six de Jena[3]
Et Detroit[4], Watts[5], Lower Ninth[6], South Bronx,
Soweto[7], Kibera[8], *Eastland*[9],
favela, Dharavi[10], barrio
est du Congo
Tant de prisons
Tant de frères
qui auraient pu
dribbler
Qui suis-je
fille
pour prendre leur place
Passe
Bouge
Réfléchis
Au futur
Aux occasions

Tu dois gagner
Tu dois prendre le contrôle
Feinte
Esquive
Protège-toi
Maîtrise

Démarque-toi
Tu as le ballon
Panier
Marque

CE QUE JE SAIS SUR LE SEXE

C'est bruyant et effrayant
Une fois j'ai entendu ma mère et mon père le faire
dans la chambre à côté
J'ai cru que ma mère était en train de mourir
Ça peut te tuer
Ça peut te délivrer
Dis non, juste non
Tu peux dire non
Tu ne voudras pas dire non
C'est naturel
C'est sain
C'est diabolique
Les garçons veulent le faire plus que les filles
Les filles veulent le faire plus que les garçons
Les mecs ne savent pas s'y prendre
Autorisé seulement pour faire des bébés.
Ma mère dit que c'est spirituel
Je voudrais que ma mère ne dise rien
Connais ton vagin
C'est le tien
Pose des questions
Pratique l'abstinence
Prends la pilule
Ça peut te posséder

Tu peux attraper des trucs sales
Les règles te donnent envie de le faire
Les règles c'est le début
Ça peut te détruire
Te dévorer
Se masturber est important
Se masturber est illégal
Le sexe c'est seulement de l'amour
Le sexe est un sport comme la gym

Ça fait perdre du poids
360 calories par heure.

JE DANSE (I)

Mon cœur
Qui bat
Un bruit
Un mouvement
Agir
Se bouger
Mon corps
Veut

Une fille
Ses hanches
Cette fille
Ses pieds
Cette fille
Au sol
Cette fille qui bouge là

Je danse pour disparaître
Je danse pour exister
Je danse car je suis excitée
Une danse sacrée
Pour oublier

Je danse car je suis à cran
Je danse, je n'arrive plus
à étudier
Je danse car c'est meilleur
que tous les sextos
T nu ?
Tu fais koi avec T mains ?

Je danse car tout est possible
Je danse car ça me fait planer
C'est la seule chose
qu'on ne me prendra jamais
Danser me tient à l'écart
des autres
de leurs opinions, de leurs idées
Je danse car
je saigne
je saigne
je me transforme

Je danse car je peux toucher
la musique
dans les clubs de Reykjavík
Bombay, Manhattan, Barcelone
Je danse
Et mon mascara coule
le long de mon menton

Je danse à l'appel des forêts, des rivières
Je danse au chant des cigales
Je danse au trafic
à la foule
au silence
Je danse à la fin de la cruauté

Je danse au-dessus des charniers
Je danse à Wounded Knee
Je danse au-dessus des squelettes et des os
Je danse au-delà des marques de l'esclavage
et des tatouages de l'Holocauste
Je danse à ces identités ravagées
et à ces regards humiliants
Je danse au-delà de mes limites et plus encore
Je danse au-delà de vos regards lubriques
Votre vision malsaine de mon corps d'ado
Je me débarrasse des burqas, des liens
des corsets, des régimes
Je me débarrasse des interdits et des règles abusives
Je me débarrasse de ces mises en garde étouffantes
Je danse au rythme de la vie
Je danse car nous les filles sommes les ultimes
          survivantes.

PARTIE II

JE L'AI CONSTRUIT AVEC DES PIERRES

J'érige des autels partout
Je porte 16 bracelets au bras
J'écris ton nom à l'encre rouge sur mon oreiller
J'accroche tes posters au-dessus de mon lit
Je grave tes initiales sur la porte de mon placard
J'arrive à l'écurie 2 heures en avance
      Pour pouvoir brosser ton manteau brun
          au moins 100 fois
Je parcours 10 kilomètres de plus sans m'arrêter
Je ne porte que des chaussettes bleu ciel
Je travaille mes accords jusqu'à ce que mes doigts
      s'épuisent
Je tatoue 56 étoiles sur le côté droit de mon visage
Je fais le ramadan
Je distribue des flyers pour la paix au Soudan
J'apprends l'hébreu
J'apprends par cœur pour le concours de slam
Je collectionne les figurines de chevaux par centaines
Je chante mon mantra à l'aube
Je ne marche pas sur les fissures
Je ne mange pas de viande
Je retiens ma respiration quand le feu est rouge
Je reste éveillée pendant 3 jours
J'apprends à être anorexique

Je saute à la corde pendant 7 heures
J'apprends le latin de façon compulsive
Latine loqui coactus sum

Je lis tous les poèmes
Je récite tous les mots
Je regarde tous les films
Je connais le moindre de tes mouvements
Je regarde ton clip et j'apprends le moindre de tes
  pas
Je suis abonnée à tes tweets
Je connais ta douleur
Je chante tes chansons
Je te fabrique des cadeaux avec des brindilles, des
  coquillages et des plumes
Je les dépose au pied de la scène
Je hurle quand les lumières s'allument
Je t'appelle puis je raccroche 7 fois
Je sais que tu vois mon numéro
Je cherche
Une mère
Des réponses
Une raison
Un futur
Dieu
Allah
Plus
Moins
Mon professeur Mrs. Martin
Tout
Rien

Je me prosterne
Je pars en vrille

Je m'affame
Je fume de l'herbe
Je vais à l'église
Je chante de plus en plus fort
Je dis ton nom
Je reste dans l'eau
Je coupe mes cheveux
Je les laisse pousser
Je me mets à genoux
Je l'ai construit avec des pierres
Dévouée.

LES FAITS

Quand, au cours de l'émission TV *20/20*[11], on a
demandé à un groupe de filles si elles préféreraient
être grosses ou perdre un bras, elles ont répondu,
unanimes, qu'elles préféreraient perdre un bras.

Le taux de mortalité associé à l'anorexie mentale est
12 fois plus élevé que le taux de mortalité associé
à toutes les autres causes chez les jeunes filles âgées de
15 à 24 ans.

blog de la faim

BLOG 1
je n'aime pas vraiment le céleri, comme un goût
de déception. les blancs d'œufs ont la saveur
d'une peau de bébé. apprendre à brouter. je
regarde les vaches. elles promènent leurs bouches
sur l'herbe, sans bouger – pause – mâchent un
peu, se reposent. Elles n'avalent pas grand-chose
en fait.

BLOG 2
tout le monde est fâché contre moi. c'est une
photo de mes hanches. ossature saillante. j'adore
ces mots ensemble : ossature saillante. parfait pour
les jeans. sade, de la musique sexy et le café aident
beaucoup. la combinaison parfaite. la musique
douce et la caféine annulent la faim.

BLOG 3
un mauvais goût dans ma bouche. cette fille jewel
a dit que j'étais malade pendant le cours de sport.
elle est jalouse. la nuit dernière j'ai mangé des
légumes cuits nue face au miroir. ça m'a tellement
dégoûtée que j'en ai eu l'appétit coupé pendant
vingt-quatre heures.

BLOG 4

tout est tellement nul. j'ai dû rester à la maison au lieu d'aller en cours. trop fatiguée. papa m'a fait la morale. il me dit que personne n'est dupe. j'ai essayé de faire de l'exercice. cent abdos. j'ai regardé la télé. j'ai vu ce reportage sur des centaines de personnes en Afrique contraintes à quitter leur pays à cause de la guerre. ils buvaient de l'eau sale. tous tellement affamés et malades. ma mère s'est mise à pleurer. elle a dit que je leur ressemblais. elle m'a fait de la soupe. j'aurais voulu pouvoir la partager avec les gens de la télé. j'aime bien la soupe.

BLOG 5

je n'arrête pas de pleurer. je me dégoûte. ma famille m'a forcée à manger un repas entier pour noël. maintenant je suis sale. putride. répugnante. les vacances me rendent tellement triste. nous ne sommes pas heureux comme les autres. impression lancinante que je devrais faire quelque chose, aller quelque part. mais je ne sais pas où. peut-être que le père noël me laissera des pilules de régime sous le sapin. j'ai fait des cauchemars de noël. j'ai rêvé que ma famille me faisait manger de la viande de renne. il y avait des bois de cerf tristes dans mon assiette. puis j'essayais de courir sous une neige épaisse et elle se transformait en gelée de fruit alors j'étais contente car la gelée de fruit ça ne fait pas grossir mais en fait c'était une gelée de fruit radioactive et j'allais mourir.

BLOG 6

je crois à l'édulcorant. j'aime tous les substituts. même miss hammer qui enseigne en alternance. elle ne me fait jamais me sentir mal. je sais qu'elle était vraiment très mince autrefois parce qu'elle a des marques. elle m'a demandé comment je me sentais quand j'étais fine. vide, pas pleine de toutes sortes de trucs degueu.

BLOG 7
mon docteur a dit qu'il allait porter plainte contre moi pour maltraitance envers mon propre corps. sa manière de m'examiner était douce. j'avais tellement froid et je tremblais d'excitation de voir mes os. presque comme trouver de l'eau après avoir creusé pendant des années. presque jolie.

BLOG 8
envoyée dans une clinique pour désordres alimentaires. aujourd'hui on a planté un arbre dans la cour, symbolisant nos corps qui grandissent en bonne santé. j'aime beaucoup la fille qui partage ma chambre, china. elle a un hamburger tatoué sur la fesse. un pense-bête. avons réimaginé nos corps en séance d'art-thérapie. je suis une danseuse du ventre avec des ceintures brillantes qui tremblent et tout et tout. c'était sympa pendant deux heures. puis je me suis mise à être vraiment déprimée. la beauté est un pays encerclé de portes. je n'y serai jamais invitée.

BLOG 9
le thérapeute ne comprend rien. ce n'est pas que j'y pense, ok ? c'est en moi. faut être mince. c'est un truc ancré dans ma conscience. comme une exigence permanente, comme une tache de café mentale. peut-être que mon système tout entier va finir par s'écraser. alors ils devront me

reprogrammer autrement. le psy me demande ce que ce serait ? je ne sais pas. il est lourd ce psy, il me pose la question à nouveau. ok. peut-être un nouveau mot d'ordre : ne pas me faire si mal. être PLUS PROFONDE. être simple. ne pas être centrée sur moi. ne pas perdre tout ce temps. ne pas me sentir à l'écart. NE PAS AVOIR ENVIE DE ME TUER. je crois que j'ai l'air énervée. tout le monde reste silencieux pendant un long moment. puis china me dit que peut-être il n'y a pas vraiment de mot d'ordre ou d'exigence. peut-être qu'on ne fait qu'inventer au fur et à mesure de notre vie et qu'il ne doit pas y avoir de pression ou de raison. on est juste là, ok. les uns avec les autres, à faire des trucs.

LA BLAGUE SUR MON NEZ
Téhéran, Iran

J'étais marrante avant. Vraiment marrante. Tout ce que je disais ou faisais était marrant. Je pense que vous auriez ri. J'aimerais bien. J'aimerais pouvoir vous prouver à quel point j'étais marrante avant, ça me rendrait encore plus marrante. Je sais que c'est dur à croire quand on me voit maintenant. Je suis tellement jolie, pas vrai ? Ne suis-je pas jolie ? Les jolies filles n'ont rien de spécial. Elles ressemblent à ce dont tout le monde rêve, mais elles ne ressemblent à rien de vraiment précis. Quand on décrit quelqu'un de joli ça donne à peu près ça : « Oh, cette fille, Ashley, elle est tellement jolie ! » Mais quand on décrit des filles pas super jolies, on a toujours quelque chose de particulier à ajouter sur elles, sur leur apparence. Oh, Maria, c'est celle avec les cheveux en bataille, ou Taina, ses jambes sont un peu courtes mais elle a une poitrine superbe.

Avant quand j'étais drôle j'avais l'air drôle. J'étais comme quelque chose d'imprévisible sur le point de se produire. C'était en rapport avec mon nez. Il était gros, moche et drôle. Mon nez était drôle. Tu me rencontrais, tu rencontrais mon nez. Salut, bienvenue chez mon nez. Je n'avais pas de visage. Juste un nez.

81

Juste un gros nez ridicule et drôle. C'est tellement intense un nez. Je veux dire, t'as déjà vraiment pris le temps de regarder le tien ? Je regardais le mien tout le temps. Il me fascinait. C'est quoi au juste un nez ? Même le mot est drôle. Nez. Le concept du nez.

Mon nez mettait tout le monde à l'aise. Il déliait les langues. Un peu comme un gage de confiance. C'est compliqué à expliquer, mais mon nez me donnait tous les droits. Il me donnait des idées malicieuses. Il me rendait audacieuse. Je me disais puisque tu ne seras jamais l'une d'entre elles, alors sois toi-même. J'étais le clown de ma classe. Ils m'appelaient Gonzo. Comme la marionnette.

Mes parents ne sont pas méchants. Je sais qu'ils m'aiment. Je sais qu'ils veulent ce qu'il y a de mieux pour moi. Ce qu'ils croient être le mieux pour moi. Ils croyaient savoir. Par amour, mes parents ont planifié, organisé et finalement réussi à tuer mon nez. L'assassiner.

Pour mes 16 ans ils ont payé un homme pour retirer mon nez. Ils ont engagé un tueur à gages pour mettre mon pauvre nez au tapis. Le seul problème c'est que mon nez était attaché à moi.

Je n'avais même pas idée de ce qui se profilait. Ils n'arrêtaient pas de me dire que je serais heureuse, que tout serait mieux et que je les remercierais parce que ma vie serait tellement plus facile. Je pensais qu'ils m'emmenaient à *Paradise Change*, je pensais que j'allais manger dans mon restaurant chinois préféré. Au lieu de ça, on s'est retrouvé dans cette petite clinique. Je ne comprenais pas. Il y avait un docteur qui, bizarrement, avait un gros nez lui aussi. Il m'a dit que c'était une procédure vraiment toute simple.

Ma mère avait l'air coupable, mais elle continuait à afficher son sourire. Puis le docteur m'a droguée de médicaments. Je ne me souviens de rien. Quand je me suis réveillée j'avais une nausée horrible et ils étaient tous bizarres à traîner autour de moi, je savais que quelque chose de grave était arrivé. Je me suis mise à vomir de la chair et des os et du sang. Mon nez coulait partout sur moi, martelé, réduit en ruine. Je pleurais et je ne savais pas vraiment comment pleurer sans nez. Mon père a pris ma main et m'a dit : « Tu vas être une princesse maintenant » et je lui ai répondu : « Je ne veux pas être une princesse. J'étais heureuse en clown. Mon nez dépassait mais il me donnait une histoire, un mystère. Il était ce que j'étais. Il ne reste plus rien maintenant à part ce désordre stupide au milieu de mon visage. J'étais la Mésopotamie et maintenant je ne suis qu'un centre commercial. »

Je sais que c'est dur à croire mais je n'ai jamais rêvé d'être belle. Je me sentais mal pour toutes ces jolies filles qu'on regarde à tout bout de champ. Elles n'ouvrent pas la bouche, ne font jamais rien de spécial. Juste… jolies. Des poissons dans un aquarium. Nageant en rond, observant. De temps à autre grignotant de la nourriture pour poissons, mais juste grignoter hein, parce que minces et jolies c'est la même chose, on le sait tous très bien. C'est un peu le problème quand on est jolie. Il y a tellement de choses qu'il ne faut pas faire pour être jolie. Je veux dire ça occupe ta vie entière. Ne rien faire. Je suis jolie. Je fais tout joli. Je ne mange pas. Je picore. Je tourne en rond. Je survole. Je me prive. Je m'affame. Comme je ne mange pas, je n'ai pas beaucoup d'énergie. En fait c'est la nourriture qui fait fonctionner ton cerveau. Alors tous ces gens jolis se déplacent plus lentement. Ils ne peuvent pas trop en faire. Ils n'ont pas beaucoup d'imagination. Encore une fois ils n'en ont pas besoin. Ils sont jolis.

Les gens drôles mangent ce qu'ils veulent. J'adorais la nourriture. Tu peux en profiter à fond. Les gens drôles profitent de tout.

Les gens jolis ne traînent qu'avec d'autres gens jolis. Ça se résume à peu près à ça. Un concours de gens jolis. Ta vie entière dédiée à être la plus jolie.

Mon nez me manque. Tous les jours je le frotte et je rêve de dire des mensonges comme Pinocchio pour qu'il repousse. J'avais un rendez-vous avec ce garçon qui me trouvait jolie. Je ne le suis pas vraiment. Il a pris ça pour de la fausse modestie. Je ne suis pas née jolie. Je ne suis pas naturellement jolie. Je suis une fausse jolie. Il n'a pas compris et m'a embrassée car c'est ce que font les garçons quand ils ne comprennent pas quelque chose et ne veulent pas avoir l'air stupides. Lorsqu'il m'a embrassée il n'a rencontré aucun obstacle. C'était trop facile. Je n'ai même pas eu à faire une blague. C'était triste car d'habitude la blague sur mon nez faisait toujours rire le garçon, ça nous détendait et le baiser était toujours bien meilleur après.

TU PRÉFÈRES (II)

FILLE 1
Tu préfères te faire choper en train de voler ou en train de tromper ton mec ? Tu préfères lui demander qu'il mette un préservatif ou le sucer ?

FILLE 2
Je n'ai pas envie de jouer à ça.

FILLE 1
Tu préfères perdre ta mère ou ton père ? Être un tsunami ou un tremblement de terre ? Être enterrée vivante ou mourir de froid ?

FILLE 2
Je vais me coucher.

FILLE 1
Pourquoi tu ne joues jamais ?
(*Silence*)
C'est juste un jeu.
(*Silence*)
Tu n'es pas marrante.

LES FAITS

Environ 1 fille sur 3 au lycée a été ou sera victime d'une relation abusive. 40 % des adolescentes entre 14 et 17 ans affirment connaître au moins une personne de leur âge qui a été frappée ou battue par son petit ami.

Chère Rihanna,

Je te respectais beaucoup avant. Je m'étais même fait ta coupe de cheveux, super jolie asymétrique et tout, et pourtant je suis blonde. C'est plus joli sur toi. Je pensais que tu étais une chanteuse humaine et compréhensive alors je n'arrive pas à comprendre pourquoi tu as été si dure avec Chris. Je vois comme il te regarde. Il t'aime trop en fait. Tu le sais. Comment t'as pu le jeter au premier faux pas ? C'est tellement superficiel de laisser tomber quelqu'un après qu'il a foiré. Tu as tout, Rihanna. Tu es trop belle et méga talentueuse, tu pétilles, tu brilles. Ça doit être dur pour Chris d'être avec toi. Regarde-moi, je suis jalouse et on n'est même pas amies. Tout le monde te veut. Tout le monde veut être toi. Il avait l'air tellement angoissé et triste dans sa vidéo d'excuses. Certains ont dit qu'il ne faisait que réciter son texte, mais il était bien sincère. Il avait tellement peur de foirer. Il était tellement triste. Ça se voyait. C'est comme ça après. Ils se sentent tellement mal. Personne pour les aider. Personne à qui parler. Sérieux je vois bien qu'il a envie de pleurer. Remets-toi avec lui. Il t'aime un peu trop, mais au moins il t'aime. Tu peux pas le virer juste à cause d'une erreur. Et s'il te faisait la même chose ? Chris t'a fait une vidéo.

C'est un truc énorme à faire devant ses potes et tout. Mon petit ami, Brad, ne m'a jamais fait de vidéo. Enfin une fois il m'a acheté ce bracelet avec un cœur en argent après m'avoir ouvert la lèvre. Mais il n'a jamais été gentil comme Chris. Ma mère le déteste. Brad, bien sûr. Elle ne le connaît pas. Elle le juge sur un seul aspect de sa personnalité qui n'est en fait qu'une toute petite part de lui. J'ai entendu Oprah dire que si un garçon te frappe une fois tu dois le quitter sur-le-champ, mais c'est tellement froid, mécanique. Comme une touche spéciale « effaçage automatique de mec ».

Je ne sais pas pour toi, mais moi je ne suis pas parfaite. Je suis têtue et je me plains, enfin c'est ce que Brad dit. Je l'énerve. Toi t'as poussé Chris et tu lui as balancé ses clefs. C'est un truc grave pour un mec. Sa voiture c'est un peu comme une part de lui-même. En tout cas si je faisais un truc pareil je m'attendrais forcément à avoir des problèmes et ce n'est pas la peine de provoquer un truc comme ça si tu ne peux pas assumer après. On est tous concernés. On ne sait jamais où ça commence ni où ça finit. C'est comme les disputes de mes parents. On dirait que ça dure depuis que je suis née, toujours pour les mêmes choses et elle le fait se sentir minable et alors il démarre. Parfois il lui fait du mal alors elle devient encore plus coupante et on va tous dans nos chambres en faisant mine de ne rien entendre mais on est là, dedans. Parfois c'est à cause de nous que ça commence. Souvent à cause de moi. Mon père dit que c'est toujours la faute de quelqu'un.

Chris t'aime. Brad m'aime aussi. Il me connaît mieux que personne. C'est juste qu'ils sont dépassés. Tout ce poids qu'ils ressentent, toutes ces choses pénibles qu'ils ont vues et contre lesquelles ils ne pouvaient rien faire. Tu te rends compte, Chris pissait au lit quand son beau-père frappait sa mère. Alors on fait quoi ? On jette tous ces mecs ? On les envoie tous sur une île déserte ? On fera comment pour avoir des bébés après ? Qui nous embrassera ? Ils sont tous horriblement tristes tu sais. Je le vois bien quand Brad me gifle parfois. Ce qui me fait le plus mal vraiment, c'est de le savoir si seul et perdu et triste. Mon père a la même tristesse et ça me rend malade quand j'y pense. Ça me déchire.

Brad n'achète plus tes albums. Il a dit que si t'étais sa petite amie il serait obligé de t'enfermer dans sa chambre. Il ne supporterait pas tout ces gens qui t'observent et rêvent de toi. Ça m'a rendue un peu jalouse. O.K. il ne me laisse pas beaucoup sortir et ça le rend dingue si je parle à un autre garçon, mais la façon qu'il avait de parler de toi, c'était différent. Comme s'il avait vraiment un faible pour toi. Alors imagine ce que ce pauvre Chris a dû ressentir avec tous ces mecs partout qui te veulent. Comment un mec peut supporter ça ? Ils ont déjà du mal à trouver un bon travail la plupart du temps. Chris, lui, il en avait un. Les mecs de mon âge passent leur temps à imaginer ce qu'ils vont faire de leurs vies. Tu es si forte, Rihanna. Je te regarde dans les clips. Ces bras, cette façon de bouger, cette confiance. Tu regardes droit dans la caméra. Tu es tellement plus forte. Tu peux aider Chris. Comment on va faire pour tous les autres sinon ? C'est comme quand on est sur le lac, je regarde l'eau derrière notre bateau à moteur et il y a cette écume qui reste après notre passage. On voit juste de petites vagues qui viennent briser ce qui était calme avant. Je me sens envahie d'angoisse et ça me fait vraiment peur. Parfois je retiens ma respiration. C'est comme si personne n'avait jamais vraiment été là. Je ne veux pas regarder Brad en arrière comme cela plus tard. Il est là. Il est vrai. Il est pour moi.

LES FAITS

Les filles entre 13 et 18 ans représentent la tranche
d'âge la plus importante de l'industrie du sexe.
On estime qu'environ 500 000 jeunes filles de moins
de 18 ans en sont victimes chaque année.

IL ME RESTE 35 MINUTES AVANT QU'IL NE VIENNE ME CHERCHER
Sofia, Bulgarie

J'ai 16 ans.
Je tremble.
Je tremble en permanence.
Les tremblements c'est comme
un corps qui tressaille
après avoir été abattu.
Je suis morte
à l'intérieur.

Il reviendra.
Je dois parler vite.
Je déteste mes cheveux.
J'ai été vendue il y a deux ans.
Je ne peux pas m'échapper.
Je suis de la viande.
Je suis un animal.

J'ai 16 ans.
Je leur appartiens.
Ils font ce qu'ils veulent.
Je suis grande.

Mes jambes sont longues.
Il y a des brûlures.
Je suis un cendrier.
Un sac-poubelle.
Mes mains tremblent.
Parfois ils refusent d'utiliser des préservatifs.
Si on leur dit non, on est frappée.
Regarde mon dos
Il y a des coupures
J'avais 12 ans.
Mon père toujours soûl.
Toujours en colère.
Son ami, son meilleur ami
qui avait 40 ans
s'est mis à me violer.
Dès qu'il me croisait.
Il a menacé de me gâcher la vie
si je parlais.
Il a menacé de tout dire à mon père.
Deux années
j'ai fait ce qu'il voulait.
Il m'a donné la syphilis.
J'ai de l'herpès sur la bouche.
Je déteste mes cheveux.

(Elle se lève.)
Quoi, quoi ?
T'es sûre qu'il ne sait rien ?
T'es sûre qu'il ne va pas venir ?
(Elle se rassoit.)
On nous a vus. Le meilleur ami de mon père.
Quelqu'un est entré
alors qu'il me violait
contre un mur.

Il a dit à mon père
que je l'avais provoqué
Mon père l'a cru.
Il m'a battue
avec un bâton
puis m'a mise à la porte.
Je n'ai pas pu marcher pendant des semaines.
Mais j'étais en fuite.
17 minutes
Mon père m'a exilée
et ma mère,
Parce qu'elle est avec lui
depuis vingt-deux ans
n'est pas intervenue.
14 ans, nulle part où aller
à la rue
Un homme m'a emmenée.
Puis mon frère
mon seul ami
m'a tourné le dos.
Puis cet homme a commencé
à frapper...

Nulle part où aller.
Pas d'échappatoire.
Direction la police
J'y vais pour demander de l'aide
Une histoire de portefeuille volé
Un jeune homme avec
les cheveux en brosse
me dit qu'il a du travail pour moi.
Il m'emmène à l'intérieur. Il me vend à eux.
Si j'essaie de partir
ils tueront ma famille.

Je les aime encore.
La police
m'a attachée à un lit
pendant sept heures
ils me menottent les mains
me déshabillent
et six d'entre eux...
Je suis un sac-poubelle.
Je suis un récipient.
J'ai été malade
Il n'y a pas d'heure
5 minutes
Je ne sais pas pourquoi je suis née.
Je ne ressens pas de plaisir
Je ne suis que saleté
Je ne suis que chair
Si quelqu'un pouvait voir mon cœur
il verrait qu'il n'est plus là

Je déteste mes cheveux
Je n'ai aucune nouvelle
de ma mère depuis un an
Ce n'est pas un choix
Tu vas voir la police pour demander de l'aide
Tu vas voir
Ton père
Ta mère
Ton frère
Ton petit ami
J'ai 16 ans
Je suis un animal
Je suis une propriété
Je suis un récipient
Je tremble

On me retrouve dans les rues de Paris
Je viens de Bulgarie
Je viens des Philippines
J'ai été prise en Sierra Leone
Je suis russe
Je viens des charniers
Vendue à Tel-Aviv, Amsterdam, Atlanta
Je viens du Kosovo, de Bombay, du Ghana et du
      Liban
Je suis un viol à ciel ouvert
Je suis en voie de disparition
Il ne restera plus rien de moi
    Un éléphant
    Un aigle
    Une fille

LES FAITS

Barbie a été inspirée par une poupée allemande nommée Lilli qui était vendue comme un jouet sexuel pour hommes.

LIBÉREZ BARBIE !
Kwai Yong, Chine

Bonjour, mon nom est Chang Ying. J'aimerais pouvoir vous écrire une vraie lettre, mais je suis dans une usine où je travaille 12 heures par jour et si jamais je me plains, ou si je suis en retard, ils me mettront à la porte. Le fait même d'y penser pourrait m'attirer des problèmes, ça pourrait me distraire et je pourrais me retrouver avec une main coincée dans la machine.

Ils détestent qu'on abîme les machines. Ils détestent aussi quand quelque chose nous arrive parce que ça ralentit tout. C'est comme ça que LiJuan est morte. Il y a eu le feu un jour, elle a eu peur d'abandonner son poste car elle avait trop besoin de ce travail pour nourrir sa famille et elle est morte brûlée.

Pour dire vrai, je ne peux pas vraiment vous écrire une lettre car je ne sais pas lire. J'ai 13 ans et je travaille depuis toute petite. Je parle très bien le chinois, c'est juste que je ne sais ni le lire ni l'écrire.

Mais j'ai beaucoup de choses à vous dire et je crois pouvoir vous aider.

Vous avez sûrement du mal à croire qu'une pauvre fille qui travaille pour quelques centimes de l'heure peut vous apprendre quoi que ce soit. Mais j'en connais un rayon sur Barbie. Je suis une de celles qui fabriquent sa tête, je vois bien ce qu'il se passe dedans.

Vous voyez, j'ai quand même trouvé un moyen de vous faire parvenir ce message. Pas par courrier, Internet ou téléphone. Par ce que j'appelle un « envoi de tête ». Vous le sentez ? C'est très fort. J'ai commencé à le faire à l'âge de 5 ans. Il faut penser à quelque chose très fort, ensuite il faut imaginer qu'une personne reçoit cette pensée, ensuite vous fermez vos yeux, en vous concentrant, et votre tête envoie cette pensée.

Comme je fabrique la tête des Barbie, je fais un envoi de tête dans chacun de leur cerveau. Ainsi n'importe quelle petite fille qui en reçoit une entend aussi mes pensées.

J'ai fabriqué beaucoup, beaucoup de têtes, et mon message est diffusé dans plein d'endroits. Si vous écoutez attentivement votre Barbie, si vous mettez sa tête près de votre oreille, comme si c'était un coquillage, vous entendrez ce que j'ai à vous dire.

Il faut beaucoup, beaucoup de filles comme nous pour fabriquer Barbie parce que des Barbie il s'en vend 3 par seconde. Ils nous l'ont expliqué lors de notre premier jour de travail. Ils ont dit que des petites filles comme moi travaillaient dans beaucoup de pays pour que Barbie soit parfaite. Son corps vient de Taiwan. Ses cheveux sont implantés au Japon. Ensuite elle vient en Chine pour avoir des habits et une tête. Ils nous ont dit que 23 000 camions par jour pleins à craquer de Barbie font des allers et retours en direction du port pour qu'elles puissent être acheminées aux États-Unis puis emballées dans leurs paquets roses avant d'être livrées.

Ils nous ont dit que notre rôle ici en Chine était le plus important et qu'il fallait le faire vite, sinon ils ne pourraient pas tenir la cadence et les petites filles ne pourraient pas avoir leur Barbie.

Au début cela m'angoissait, j'étais toujours très nerveuse. Je me suis coupée plusieurs fois avec la machine.

Puis un jour j'ai vu une photo de la maison de rêve de Barbie, et j'ai commencé à penser à la maison où je vis. Je vis dans la maison des cauchemars. Ce n'est même pas une maison, plutôt un dortoir. C'est comme la prison des Barbie, nous sommes toutes entassées dans cet endroit horrible. J'ai commencé à réaliser qu'une Barbie coûte 200 yuans alors que moi qui travaille ici où il fait si chaud, toute la journée, six jours par semaine, je ne gagne même pas autant en une semaine.

Je ne suis jamais allée nulle part mais je ne crois pas que qui que ce soit ressemble pour de vrai à Barbie. Elle est tellement maigre, il paraît qu'elle n'a même pas ses règles. Et mon cousin qui habite aux États-Unis m'a dit que les filles qui avaient des Barbie arrêtaient de manger pour essayer de leur ressembler.

Je commence à me dire que c'est difficile d'aimer Barbie telle qu'elle est. Elle est très dure, toute en plastique. Elle n'est pas vraiment câline. Elle ne peut même pas vous prendre dans ses bras. Il faut tout faire à sa place : la soigner, l'habiller, lui acheter des affaires. Elle est paresseuse et exigeante et elle veut tout, c'est comme ça qu'ils vous font dépenser plus d'argent.

Écoutez bien, c'est pas de la faute de Barbie, elle n'a pas eu le choix. Tellement de gens la contrôlent, du premier moule en plastique jusqu'au dernier accessoire. Sous plein d'aspects elle a encore même moins de liberté que moi. Elle n'a aucune possibilité de s'enfuir. Ses jambes ne tiendraient probablement pas le coup de toute façon. Tellement de personnes la maltraitent. Vous savez, il y a un groupe de Barbie – ici dans l'usine, entre nous on les appelle le groupe des « pas de chance » – eh bien elles sont envoyées au quartier général Barbie à Los Angeles, et là des experts en Barbie les jettent par terre, les frappent et les mordent pour voir ce qu'elles peuvent supporter.

Mon cousin m'a aussi raconté que beaucoup de filles aiment leur Barbie au début, puis qu'en grandissant elles se retournent contre elles. Elles leur coupent les cheveux et la tête parfois, ou la mettent dans le micro-ondes.

Les responsables de la production lui font dire des choses vraiment stupides. Ils mettent des mots dans sa bouche :

> *Qu'est-ce qu'on va bien pouvoir mettre ?...*
> *Je veux faire du shopping !*
> *J'aime pas les maths.*

Je sais que Barbie n'a pas du tout envie de dire ces choses-là parce que je sais ce qui se passe dans sa tête. Elle me parle. Elle est très en colère. Elle est vraiment blessée. Elle se sent coupable. Elle déteste faire du shopping, elle se sent mal pour ces filles qui s'affament en la fabriquant et celles qui s'affament pour lui ressembler. En fait elle est plutôt désordonnée et un peu turbulente. Elle n'est pas du tout polie et déteste tous ces habits moulants et ces chaussures pointues qu'on lui inflige.

Barbie n'est pas celle que vous croyez. Elle est beaucoup plus intelligente qu'ils ne la laisseront jamais paraître. Elle a des pouvoirs incroyables, c'est une sorte de génie.

Il y a plus d'un milliard de Barbie dans le monde. Imaginez qu'on les libère. Imaginez que dans chaque ville, chaque village, chaque maison de rêve, elles prennent vie. Imaginez qu'elles passent du statut de fabriqué à celui de décideur. Imaginez qu'elles se mettent à révéler le fond de leurs pensées.

Laissez Barbie parler.

Envoi de tête :
Libérez Barbie !
Envoi de tête :
Libérez Barbie !
Libérez Barbie !
Libérez Barbie !

Aïe ! Ma main s'est prise dans la machine ! Ça fait mal. Ça saigne. Ils vont être très en colère.

Envoi de tête :
Libérez Chang Ying !
Envoi de tête :
Faites-la sortir de cette usine sale et puante
Envoi de tête :
Libérez Chang Ying !

CIEL CIEL CIEL
Ramallah, Palestine

Cher Khalid,
Je n'arrête pas de toucher à mes cheveux
Comme pour passer le temps
Je passe mes doigts à travers
Encore et encore.
Ils étaient plus épais avant.
Ils sont comme de l'eau maintenant.
Quelque chose m'a quittée.
Je ne sais pas bien quoi.

Cher Khalid,
Quand je me tenais au bord de ta tombe
Je les imaginais rassemblant
les morceaux de ton corps comme un puzzle.
Toujours cette pièce manquante
et ta main
je n'arrête pas de penser à ta main
agrippant la mienne lorsque tu croyais
fort en quelque chose
assez fort pour mourir.
Tu étais impatient.
Pas une impatience gaie comme lorsqu'on reçoit un
        cadeau.

Plutôt déterminée.
Personne n'emporterait ton avenir
loin de toi.
Je n'arrête pas de penser aux morceaux
de ton corps
et à quel point j'aimais chacun d'eux
mais jamais séparés avant comme ça.

Cher Khalid,
Plus tard j'ai réalisé que tout avait commencé
        comme une fièvre ; la rage.
Deux semaines après qu'ils t'ont enterré
et m'ont donné ton écharpe comme porte-bonheur.
Je pensais que c'était une de ces maladies
que l'on attrape à cause de l'eau sale
de l'absence de lumière
quand il n'y a pas de pain
quand il n'y a pas de lait pour bébé
quand tout est détruit, quand tout s'arrête.
quand on est cloîtré dans une pièce minable pendant
        des semaines,
parfois des mois.
Je pensais que c'était une maladie.
Je brûlais et je ne pouvais pas m'arrêter.
Je me suis enroulée dans ton écharpe
dans ton odeur
pensant que cela me retiendrait
me tiendrait à l'écart
mais non.

Cher Khalid,
C'était simple
la voix
lorsqu'elle est venue à moi

si parfaite, si claire :
Attentat suicide.
Je l'ai dit à haute voix
devant mes amis
au café
et la fièvre est enfin tombée.

Cher Khalid,
Ils m'ont dit de ne pas y penser.
Ils m'ont dit que je serai un héros.
Ils m'ont dit que je te rejoindrai au paradis.
Ils ont parlé trop vite.
Ils ont agi trop rapidement.
J'avais besoin de temps.
Il y avait un garçon qui viendrait avec moi.
Je voyais bien qu'il était effrayé.
Il transpirait.
Il avait de l'acné.
Quelqu'un ou quelque chose l'avait envoyé ici
et comme moi il essayait de s'adapter.

Cher Khalid,
Peut-être que s'ils avaient envoyé une voiture avec
    des phares.
ou une voiture qui n'était pas cassée ou rouillée.
Peut-être que s'ils ne m'avaient pas poussée si vite.
Peut-être que s'ils m'avaient laissée porter mes
    vêtements
mais l'idée de mourir
avec un débardeur sur le dos et le nombril à l'air
l'idée de mourir dans leur jean
leur manière brutale de me pousser à l'intérieur...

Cher Khalid,
Cela aurait pu être ton bébé
que je portais contre ma peau
attaché comme ça
aspirant ma vie
mais c'était une bombe
de la taille d'un torse
comme une tumeur grossie
aspirant la vie
cela aurait pu être
des petits doigts à la place des clous
une chose
que nous aurions créée avec notre tendresse
mais c'était une chose pour faire exploser
les gens.

Cher Khalid,
Sur la place
où ils jouent au backgammon
on nous a envoyés à nos postes
comme les cancres à l'école
au coin
pour être prêts à exploser, à mourir
à nos postes.
Je savais que le garçon voulait reculer
mais c'était un garçon et il n'avait pas le choix.
Puis tout à coup la place est devenue
des visages
des visages, des visages.
Ma mère, mon père, ma tante et toi
Khalid, vous étiez là sur ces places israéliennes
des yeux.
Alors j'ai regardé vers le haut
C'était bleu

Un grand ciel vivant bleu, bleu
plus grand que la place
ou la Palestine ou les Juifs
ou même toi, Khalid.
Il y avait du ciel du ciel du ciel
et je ne pouvais pas le faire
et je me suis retournée quand son corps a explosé
sa tête de garçon
brisée et là
plus de pièces manquantes.

Cher Khalid,
Je ne comprends pas pourquoi
ils me gardent ici.
J'ai changé d'avis.
J'ai renoncé.
Ils devraient m'être reconnaissants.
Il leur faudrait sinon emprisonner tous les
        Palestiniens
pour avoir eu de mauvaises pensées, des pulsions.
Comment pourrait-on survivre autrement ?
Cela ne me dérange pas vraiment d'être en prison.
Au moins je n'ai plus à faire semblant d'être libre.
Je n'ai pas d'illusion.
Je n'ai pas de haine.
Je n'ai pas de petit ami.
Je ne peux plus rentrer à la maison,
Je suis plus âgée.
Mes cheveux sont comme de l'eau.

LE MUR
Jérusalem, Israël

Mon amie Adina m'emmène de l'autre côté
du mur en Cisjordanie.
Je suis surprise de voir à quoi cela ressemble là-bas.
Il paraît plus grand
Il faudrait un hélicoptère pour passer au-dessus
Un ciment dur et sévère sépare l'énergie, les
      maisons
la terre et les amis
j'y retourne.
J'entends d'autres histoires.
Pas d'eau de ce côté,
Pas de puits
Pas de pamplemousses ou de figues
Pas de travail
Pas d'issue.
Je manifeste le vendredi
Avec des garçons palestiniens pour la plupart.
Ils ne comprennent pas ce qu'une fille israélienne
Vient faire ici.

C'est un secret
Personne dans ma famille ne sait.
Cela dure depuis des mois.

Le mur me transforme.
Je ne me rase plus les jambes.
Je ne mange plus de viande.
Finalement je refuse de rejoindre l'armée.
Je vois le chagrin immense
Dans le visage tendre de mon grand-père.
On me dit que je ne dois pas capituler.
On me dit que je ne suis pas une vraie Israélienne.
Mon père ne me regarde
plus comme avant.
Mon grand frère élève la voix
et se vante devant moi
d'avoir tué un Arabe aujourd'hui.
Je continue à dire non.
Je refuse d'admettre que j'ai des problèmes mentaux.
Je ne veux pas apprendre à tirer.
Je vais en prison.
Je refuse de porter l'uniforme de la prison militaire.
Je suis mise en quarantaine.
Je ne dis pas combien cela m'effraie.
Chaque nuit
une fille de mon âge, plus ou moins 18 ans,
erre dans ma cellule.
Sa tête est rasée.
Elle est nue et affamée.
Elle veut me dire quelque chose.
Puis elle étouffe.
Ses mains osseuses
griffent le mur.
Je ne sais pas si c'est un rêve
ou un souvenir.
Qui me hante
ou me libère.

LES FAITS

Un nouveau rapport a établi que parmi
les 300 000 enfants soldats à travers le monde, environ
40 % sont des filles. Les filles sont souvent des
combattantes de première ligne ou utilisées comme
brancardières ou cuisinières. Beaucoup d'entre elles
sont abusées sexuellement.

GUIDE DE SURVIE D'UNE ADOLESCENTE FACE À L'ESCLAVAGE SEXUEL.
Bukavu, République démocratique du Congo.

J'habite à Bukavu, République démocratique du Congo. Mais je pense que ce guide peut s'appliquer à n'importe quelle fille dans le monde.

Les gens me demandent tout le temps comment j'ai survécu. Ce n'est pas que je sois plus intelligente ou plus forte qu'une autre. Je ne savais même pas ce que je faisais. C'est juste que quelque chose à l'intérieur de moi ne pouvait pas accepter. Mes amies ont été capturées en même temps que moi. Je ne pense pas qu'on les ramènera un jour.

RÈGLE N° 1. PASSE AU-DESSUS DE CE TRUC DE FILLE : « ÇA NE PEUT PAS M'ARRIVER, PAS À MOI. »
Lorsque ça arrivera, et crois-moi ça arrive à des milliers d'entre nous, tu ne voudras pas y croire.

Tu penseras que *ce sont juste des soldats qui font les imbéciles. Peut-être qu'ils s'ennuient. Ils ne pourraient pas me faire du mal, m'attraper les bras et les jambes aussi violemment, me jeter dans leur camion.* Ton cerveau commencera à te dire des choses. *Ils ont l'âge d'être mon père. Ils sont mieux que cela.* Ce sera déroutant. Tu te sentiras stupide. Tu auras l'impression que ce qui est en train de se passer n'est pas vraiment en train de se passer. Tu auras le sentiment d'avoir fait quelque chose de mal.

J'ai vu mes meilleures amies – Alisa, Esther et Sowadi. On était en vacances. On avait pris le bateau ensemble de Bukavu à Goma. On s'amusait près du lac – le lac Kivu. Un lac immense. Il faut cinq heures pour le traverser. On avait bu du Fanta, en se moquant de la coupe de cheveux un peu folle d'Esther. On était allé à Goma pour nager et se balader un peu. On était allé faire du shopping. Sowadı s'était acheté ces chaussures dorées. Je me souviens avoir pensé que je voulais les mêmes, mais je ne voulais pas qu'elle pense que je la copiais.

Quand nous sommes sorties du magasin et avons descendu cette rue, cela ne semblait pas réel. Quelques instants plus tôt, on faisait du shopping et maintenant ces soldats complètement dingues... C'est pour ça qu'elles n'ont pas couru. Je voulais courir, moi, mais je ne voulais pas les abandonner. C'est quand on a voulu résister qu'on a compris à quel point c'était grave. Un des soldats, le plus fort du groupe, s'était mis à frapper Alisa et elle criait. Mes meilleures amies criaient et pleuraient.

J'étais très calme. C'est mon truc à moi. Je n'allais pas laisser ces soldats voir quoi que ce soit. Ce qui amène à...

RÈGLE N° 2. NE LE REGARDE JAMAIS QUAND IL TE VIOLE.

Il t'appellera par ton nom avec cette voix grinçante, pleine d'envie. Il te suppliera de le regarder. Il attrapera ta tête avec ses grosses mains brutales et sales. Ne tourne jamais tes yeux vers les siens. Ferme-les s'il le faut. Il n'est rien. Il n'est même pas là. C'est juste une minuscule et toute petite tache insignifiante. Il n'existe même pas.

RÈGLE N° 3. CREUSE UN TROU EN TOI, À L'INTÉRIEUR, PUIS ENTRE DEDANS.

Il sera sur toi. Il sera assez vieux pour être ton père. Il sentira les bois, l'alcool et la marijuana. Il pressera sa main contre ta bouche. Tu es vierge. Tu n'as que 15 ans. Il te répétera que personne ne viendra pour toi.

Imagine que tu danses. Pense à ta chanson préférée. Souviens-toi de ta mère qui te tresse les cheveux. Sens ses mains qui tressent tes cheveux avec une douce fermeté. Tu l'entends t'appeler : « Marta, Marta, Marta. »

RÈGLE N° 4. NE LUI OUVRE JAMAIS AUCUNE PORTE.

Refuse la nourriture qu'il t'apporte. Refuse de manger son poisson stupide. Crache dessus. Dis-lui que ta famille ne mangerait jamais un poisson à peine sorti de l'eau. En public il voudra que tu fasses des sourires, que tu te comportes comme si tu étais sa femme alors qu'il est marié à quelqu'un d'autre. Ne souris jamais. Roule-toi par terre dans cet horrible pagne cher et sur mesure qu'il t'apporte. Ne ris jamais à ses blagues. Il s'enfoncera à l'intérieur de toi. Il le fera deux ou trois fois par jour. Ce ne sera plus douloureux après les vingt premières fois. L'intérieur de ton corps ne t'appartiendra plus. Parfois il portera de l'eau de Cologne. Fais attention. Cette odeur te rendra compatissante. Ne laisse aucun chemin à ce sentiment. Tu commenceras à ressentir quelque chose pour lui. C'est naturel après six mois. Ce n'est rien de plus que de l'habitude. Ça n'a rien à voir avec Claude. Au fait, ne prononce jamais son nom. Parle de lui en utilisant des mots comme « lui » ou « toi ». « *Toi*, pousse-toi. *Toi*, laisse-moi tranquille. »

RÈGLE N° 5. SA TRISTESSE N'EST PAS TON PROBLÈME.

Parfois il aura l'air triste. Toutes ces choses terribles qu'il a vues et faites. Tu te sentiras mal pour lui. Tu ressentiras tout ce qu'il ressent et tout ce qu'il ne ressent pas. Tu a été son esclave depuis bientôt deux ans. Tu commenceras à croire qu'il n'y a personne d'autre. C'est ta vie. Il est la seule personne qui t'aime. Un matin tu vomiras et alors tu penseras qu'il t'a empoisonnée. Puis cela se calmera et se reproduira à nouveau, et peu à peu tu comprendras que tu es enceinte de son bébé. Il te dira que si tu penses une seule seconde à avorter il te tuera. Refuse de prendre soin de son bébé.

RÈGLE N° 6. PEU IMPORTE SI TU TE FAIS ATTRAPER, MIEUX VAUT MOURIR EN ESSAYANT D'ÊTRE LIBRE.

Quand l'opportunité se présentera, sauve-toi. Crois aux miracles. Dans ta fuite, tu emportes ton bébé car au fond de toi tu sais qu'elle est à toi. Tu prendras ses habits, rien de plus.

Tu commenceras à courir et tes jambes seront fortes comme le sont celles de quelqu'un de fort et tu arriveras à réfléchir clair et bien comme jamais tu n'avais réfléchi avant et tu entendras ta mère appeler « Marta, cours, cours, cours » et tu seras là juste à l'heure pour le bus, tu ne regarderas pas par la fenêtre parce que tu sais que les quatre gardes du corps qui t'ont surveillée pendant ces deux années sont déjà là mais tu es dans ton trou et personne ne peut te voir et tu te cacheras avec ton bébé derrière un mur chez ton cousin, là même où tu aurais dû passer tes vacances et Claude viendra avec les quatre soldats et ils chercheront et détruiront tout et ton bébé ne pleurera pas et tu seras invisible et le jour suivant tu arriveras jusqu'au bateau et alors qu'il s'éloignera de la rive tu arrêteras de respirer tu le verras lui et les autres sur le quai à ta recherche et quelqu'un désignera le bateau du doigt et tu sauras qu'il t'a trouvée bien que tu sois tout au fond de ton trou. Alors tout à coup le capitaine du bateau se tiendra devant toi et te posera une seule question : « Quel âge as-tu ? » et tu parleras comme si c'était la première fois que tu parlais et tu seras surprise de constater à quel point ta voix est forte et un peu folle et tu diras des choses comme « J'ai 17 ans. Il m'a prise quand j'avais 15 ans. Il m'a violée chaque jour trois fois par jour. Il m'a donné des maladies et mise enceinte. Il a volé les minéraux de mon pays, et ma vie. Si vous faites demi-tour, je me jetterai dans le lac. Je me noierai. Je veux bien mourir si je ne le revois plus jamais. J'emporterai son bébé avec moi. »

Et le capitaine mettra une main sur ton épaule et tu verras une lumière dans ses yeux que tu assimileras à de la pitié et il ne fera pas demi-tour.

RÈGLE N° 7. NE TE SENS PAS COUPABLE DE LA JOIE QUE TU RESSENTIRAS EN APPRENANT SA MORT.

Six mois après ton retour à la maison dans ton Bukavu adoré tu tomberas nez à nez avec deux soldats du camp et ils seront surpris de te voir en si bonne forme et ils t'apprendront que Claude s'est fait tuer et tu diras « Dieu a fait quelque chose de bien » et à ce moment-là du lait coulera de ta poitrine et tu aimeras ton bébé.

Je suis partie en vacances pour deux jours.
Je ne suis pas revenue pendant deux ans.

RÈGLE N° 8. PERSONNE NE PEUT TE PRENDRE
LA MOINDRE CHOSE SI TU NE LA LUI DONNES PAS.

JE DANSE (II)

Je danse au milieu des cercles
qui prennent source dans la Grèce antique
Dans les cercles qui tourbillonnent autour des
      Balkans
L'Afrique, l'Irlande
Je danse la hora

Je danse au milieu des cercles de tous ces indigènes
Je danse pour dire oui à ma culture
Je danse parce que ma grand-mère
et mon grand père me l'ont appris
Je danse pour ne pas oublier
Je danse comme l'oiseau en moi
Parfois lent
Parfois rapide
comme un geai bleu
Impossible de l'arrêter
même si tu essaies de le tuer
Pointe une arme sur un geai bleu
Il s'envolera, en un éclair
Hors de ta portée
J'ai voulu danser le jingle
Avant même de pouvoir marcher
Je danse parce que j'aime tourbillonner

La danse Buckskin
De tout mon corps
Quand un enfant indien apprend à danser
il apprend à être indien

Je danse pour disparaître
Je danse pour sentir que j'existe
Je danse parce que je suis excitée
parce que c'est sacré
parce que je veux oublier

(danse du ventre)
Je danse avec mon ventre
le centre du pouvoir du monde

(danse soufie)
Je danse le Sufi
Et je tourbillonne
Pour toujours
Dans l'univers

(danses hula, kabuki, hip-hop, Bollywood)
Je danse contre ce qui est interdit
O'te'a
Kabuki et rock'n'roll
Hip-hop et Bollywood

(Salsa et flamenco)
Je danse la salsa et le flamenco

PARTIE III

OPPOSANTES

Des montages libanaises
jusqu'à Eldoret[12], Kenya
nous pratiquons l'autodéfense.
Calées en karaté, taï chi, judo et kung-fu
nous ne subissons plus notre sort.

Désormais, c'est nous qui accompagnons nos amies
    à l'école.
Et on ne la joue pas viril. On le fait avec style.

Nos mères appartiennent au gang des Saris Roses[13]
qui combattent les hommes soûls
en les pointant de leurs doigts vernis et de leurs
    bâtons
dans l'Uttar Pradesh.
Nos mères sont les femmes peshmergas[14]
dans les montagnes kurdes
des barrettes dans les cheveux
et des AK 47 dans les mains au lieu de livres de
    poche.
Nous ne craignons plus d'être enlevées encore et
    encore

Nous sommes les Libériennes assises

sous le soleil africain bloquant les issues
jusqu'à ce que les hommes trouvent
     une solution.

Nous sommes les Nigérianes
nos bébés sur le dos
occupant les terminaux pétroliers de Chevron.
Nous sommes les femmes du Kerala
qui refusons de laisser Coca-Cola
privatiser notre eau.
Nous sommes Cindy Sheehan[15] se pointant à
     Crawford à l'improviste
Nous sommes celles qui ont renoncé à leurs maris
parce que nous étions mariées à notre cause.
Nous savons que l'amour vient de partout et sous
     bien des formes.
Nous sommes Malalai Joya[16], qui a tenu tête à la
     Loya Jirga afghane
et leur a déclaré qu'ils étaient les « *Seigneurs de la*
     guerre du viol »
et elle ne s'est pas tu quand ils ont tenté
de faire exploser sa maison.
Et nous sommes Zoya, l'enfant dont la mère a été
     abattue pour ses idées contestataires, Zoya qui
     a été nourrie à la révolution, plus riche que le
     lait.

Et nous sommes celles qui ont gardé et aimé leurs
     enfants
bien qu'ils aient le visage de nos violeurs.
Nous sommes les filles qui ont arrêté de se taillader
     pour soulager la douleur

Et nous sommes les filles qui ont refusé de se faire
    couper le clitoris
et de renoncer au plaisir.

Nous sommes :
Rachel Corrie[17], qui n'a pas voulu/pu éviter le tank
    israélien.
Aung San Suu Kyi[18], qui continue à sourire après des
    années de réclusion.
Anne Frank, qui survit toujours parce qu'elle a écrit
    son histoire.
Et nous sommes Neda Agha-Soltan[19], abattue par un
    snipper dans les rues de Téhéran tandis qu'elle
    donnait voix à une nouvelle liberté, un
    nouveau chemin.

Nous sommes les femmes qui affrontent la haute
    mer pour permettre
aux femmes démunies d'avorter sur des navires.
Nous sommes les femmes qui filment les atrocités
dans les stades avec une caméra sous nos burqas.
Nous avons 17 ans et nous vivons une année entière
    dans un arbre
et nous dormons dans les forêts pour protéger les
    chênes.
Nous parcourons les océans pour stopper le
    massacre des baleines.
Nous sommes *freegans*[20], végétaliennes,
    transsexuelles,
mais avant tout nous sommes des opposantes.
Nous n'acceptons pas votre monde
Vos règles vos guerres
Nous n'acceptons pas votre cruauté et votre dureté.

Nous ne croyons pas que certains doivent souffrir
        pour que d'autres survivent
ou qu'il n'y en a pas assez pour tous
ou que la concentration soit le seul système
        économique viable
Et nous ne détestons pas les garçons, O.K. ?
C'est encore une connerie de plus.

Nous sommes des opposantes
mais nous avons soif de baisers.
Nous ne voulons rien faire avant d'y être prêtes
mais cela pourrait être plus tôt que vous ne le
        pensez
à nous de le décider
et nous n'avons pas peur de ce qui bat en nous.
Cela nous rend vivantes.

Arrêtez de nous ignorer, de nous critiquer ou de
        nous infantiliser.
Nous refusons les postes de contrôle, les blocus ou
        les raids aériens
Nous avons soif d'apprendre.
Sur les plages sri lankaises dévastées par le tsunami
Dans les vestiges abandonnés et fétides du Lower
        Ninth
Nous voulons des écoles.
Nous voulons des écoles.
Nous voulons des écoles.

Nous savons qu'à force de vouloir tout planifier
rien n'arrive et tout empire
tout est dans l'action
et nous savons d'instinct que le plus terrifiant
n'est pas de mourir, mais de ne pas essayer du tout.

Quand finalement nous élevons nos voix
Que nous nous rassemblons
Que nous unissons nos compétences
au lieu de nous diviser
Que nous concentrons notre énergie sur ce qui
    importe
Quand nous cessons de nous centrer sur
nos ventres plats ou nos cheveux trop frisés
ou nos grosses cuisses
Quand nous arrêtons de vouloir plaire
Et faire plaisir à tout le monde
Nous avons le pouvoir.

Si
Janis Joplin a été élue l'homme le plus moche de son
    campus
et s'ils ont envoyé Angela Davis en prison
Si Simone Weil avait des qualités masculines
et si Jeanne d'Arc était hystérique
Si Bella Abzug[21] était éminemment détestable
et si Ellen Johnson Sirleaf [22] fait peur
Si Arundhati Roy[23] est vraiment intimidante,
Rigoberta Menchú pathologiquement intense,
Et Julia Butterfly Hill[24] une sorcière extrémiste
Alors, dites que nous sommes hystériques
Fanatiques
Excentriques
Délirantes
Redoutables
Éminemment détestables
Militantes
Salopes
Monstres

Tatouez-moi
Sorcière
Donnez-nous nos manches à balais
sur le feu nos potions
Nous sommes les filles qui n'ont pas peur
    de cuisiner.

LES FAITS

On estime à 100 millions le nombre de filles victimes du travail des enfants dans le monde.

POURQUOI TU AIMES ÊTRE UNE FILLE ?

Les filles sont douces
On peut être glamour
Se maquiller
Les filles sont humaines
Les filles sont proches de leurs pères
Les filles ne forcent pas les garçons à faire des choses
Les filles portent de beaux vêtements
Les filles peuvent créer une nouvelle vie
Les filles sont timides
Les filles sont tendres
Les filles sont douces
Les garçons restent assis pendant des heures
      sans parler
Ils hurlent devant la télévision
Les filles font mieux
Danser
Porter des robes
Être différentes
Les femmes sont plus complices

POSER LA QUESTION

On est étendus là à s'embrasser, se peloter et ça
      devient de plus en plus chaud et je sais bien
qu'il pense que je suis déconcentrée
parce que la seule chose à laquelle je pense
c'est comment je vais lui demander,
comment je vais le dire.
Il va se crisper.
Il va savoir que je l'ai déjà fait.
Il va penser que je suis novice.
Je sais que tous les garçons détestent ça.
Ce n'est pas aussi bon.
Ça casse l'ambiance,
le moment.
Il ne me rappellera pas.
Il croira que quelque chose cloche chez lui.
Il est déjà nerveux.
Il va perdre ses moyens.
Il ne peut pas avoir le sida.
Il est trop jeune.
Il est trop beau.
Il est trop athlétique.
Il est trop sympa.
Il est trop timide.
Il est trop drôle.

Il s'habille trop bien.
Il est trop propre.
Il est trop intelligent.
Il est trop prudent.
Il est trop populaire.
Il est trop chrétien.
Je le connais depuis toujours.
Je lui demanderai la prochaine fois peut-être
Quand on se connaîtra mieux.

Puis je me suis souvenue de cette fille dans ma
     classe.
Elle avait 17 ans.
Elle était vraiment mignonne.
Elle allait se marier avec ce type.
Il ne lui a pas dit qu'il avait couché
avec quelqu'un d'autre.
Il ne lui a pas dit
de peur qu'elle le plaque.
Il ne lui a pas dit
et elle lui faisait confiance
et il lui a donné le VIH.
Alors je le dis
juste comme ça
« Ça te dérangerait pas
d'utiliser un préservatif s'il te plaît ? »
(on dirait ma mère)
et il me répond, sans hésiter
« Bien sûr, j'en ai un juste ici »
et je me dis
oh mon Dieu
ce n'était pas si dur.
Plutôt facile

et il l'a déjà fait c'est sûr.
Il n'est pas si timide,
pas si gaudre,
clairement pas vierge,
clairement préparé.
Peut-être que je ne le connais pas vraiment.
Ja fais ça parfois –
J'invente les gens.
J'invente ce qu'ils pensent
et comment ils réagiront.
Je suis tellement focalisée sur lui
que je ne pense pas à moi.
Pourquoi est-ce qu'il n'en a pas parlé le premier ?
Peut-être qu'il allait le mettre
au dernier moment.
Peut-être qu'il a une technique pour le faire
sans casser l'ambiance.
Combien de fois est-ce qu'il l'a fait ?
Combien de filles ?
Et il me dit, l'air de rien,
« C'est la première fois pour moi
je suis un peu gêné »
et je commence à rire
et il me dit : « Tu te moques de moi ? »
et je dis : « Non, je ris parce que
je suis gênée moi aussi et je suis heureuse
que tu sois comme moi. »
Et on s'embrasse encore
et puis après il retire le préservatif
et on en rigole
parce que les préservatifs ont vraiment une drôle de
        touche
et ça devient quelque chose

que l'on fait ensemble
et chacun se protège
et protège l'autre
et ça me fait l'aimer
et m'aimer en retour.

TU PRÉFÈRES (III)

FILLE 1
Tu préfères surprendre ton mec en train de coucher
avec ta meilleure amie ou ta sœur ?

FILLE 2
Tu préfères continuer à m'ennuyer ou me laisser
dormir ?

FILLE 1
Ce que tu peux être grincheuse !

FILLE 2
Tu préfères que je continue à t'inviter chez moi ou
continuer à me poser ces questions vraiment
stupides ?

FILLE 1
Pourquoi tu t'énerves comme ça ?

FILLE 2
Parce que toutes tes questions sont vraiment
déprimantes.
Parce que je suis fatiguée d'avoir à choisir entre
deux choses horribles et impossibles.

Vivre avec mon père ou ma mère, être populaire ou intelligente, aimer le sexe ou être considérée comme une salope, devenir riche ou suivre mon cœur.
Je veux d'autres questions. Je déteste ces choix. Je déteste ma vie.

FILLE 1
Je suis désolée. Je suis tellement désolée. C'était juste un jeu.
(La fille 2 pleure.)

FILLE 1
Tu pleures ?

FILLE 2
Oui.
(Pause, silence.)

FILLE 1
Tu préfères que je reste là et que je te laisse tranquille ou que je vienne me blottir contre toi ?

FILLE 2
La deuxième.

FILLE 1
Venir près de toi ?

FILLE 2
Ouais.
(Elle vient et la prend dans ses bras.)

FILLE 1
Je suis désolée.

FILLE 2

C'est juste que c'est tellement dur parfois. C'est juste tellement dur et triste.

FILLE 1

Je sais. C'est vrai. Je déteste ça.
(Elles se prennent dans les bras et pleurent toutes les deux. Et puis elles éclatent de rire, de plus en plus fort.)

LES CHOSES QUE J'AIME
DANS MON CORPS

Être forte
Mes formes
Être fine, ma petite silhouette à moi
Mes yeux
Mon sourire
Ma peau – couleur caramel, douce et brillante
Mes yeux bridés
Mes fossettes – l'une est plus profonde
Mes jambes poilues
Des cils ondulés
J'aime tout
Des yeux comme le soleil
Des bras comme des bâtons
La hauteur d'un arbre
Poilue comme un singe

MA MINI-JUPE

Ma mini-jupe
n'est pas une invitation
une provocation
une indication
que j'en veux
ou que je m'offre
ou que je suis une pute.

Ma mini-jupe
n'est pas en demande
elle ne veut pas
que vous me l'arrachiez
ou que vous la fassiez glisser.

Ma mini-jupe
n'est pas une raison légale
pour me violer
même si c'est déjà arrivé par le passé
maintenant ça ne marchera plus
devant un tribunal.

Ma mini-jupe, que vous le vouliez ou non
ne vous concerne pas.

Ma mini-jupe
c'est la découverte
de la puissance de mes jambes
de l'air frais de l'automne
qui me remonte entre les cuisses
c'est pour permettre à toutes les choses que je vois
ou qui passent ou que je sens de vivre en moi.

Ma mini-jupe n'est pas la preuve
que je suis une petite fille stupide
ou indécise
dont on peut faire ce qu'on veut.

Ma mini-jupe c'est mon défi.
Vous n'arriverez pas à me faire peur
Avant que vous m'obligiez à la cacher
Ou à la rallonger
Ma mini-jupe n'est pas de la frime
C'est ce que je suis.
Il faut vous y faire.

Ma mini-jupe est bonheur et joie.
Je me sens de cette terre.
Je suis ici. J'ai chaud.
Ma mini-jupe est le drapeau
de la libération de l'armée des femmes.
Je déclare ces rues, toutes ces rues
le pays de mon vagin.

Ma mini-jupe
est une eau turquoise
avec des poissons de toutes les couleurs
un festival d'été sous un ciel étoilé
un chant d'oiseau

un train qui arrive dans une ville étrangère.
Ma mini-jupe est un tourbillon sauvage
une bouffée d'air
un pas de tango.
Ma mini-jupe est
une initiation
une impression
une excitation.

Mais avant tout ma mini-jupe
et tout ce qu'il y a dessous
est à moi.
À moi.
À moi.

Ce texte a été traduit par Dominique Deschamps.

DES CHOSES QUI ME DONNENT DU PLAISIR

Quand Zena me chatouille l'intérieur du bras
en remontant jusqu'au coude
Danser jusqu'au bout de la nuit
ses jambes à côté de moi, le vent,
l'urgence
Connaître la réponse
L'eau tiède et savonneuse
Apprendre l'histoire de la Russie
Parler arabe
Le riz
Le curry
Le poulet
Mettre du rouge à lèvres brillant
Lisser mes cheveux
Boucler mes cheveux
Couvrir mes cheveux
Le flan
Le halva
Le baklava
Il gelato
Les macarons
Faire le poirier
Faire le grand écart

Courir plus vite
Sauver les visons
Sauver les baleines
Limiter les sacs en plastique
Les sushis
Le bonheur de ma mère
Être dans la rivière
L'Océan
La piscine avec mes amis
Dormir chez mes amis
Rentrer dans un nouveau jean moulant
Ma mère qui passe un gant
sur mon front quand j'ai de la fièvre
Essayer des soutiens-gorge
Le frémissement des arbres
quand les oiseaux reviennent

LES FAITS

Plus de 900 millions de filles et de femmes vivent avec moins de 1 dollar par jour.

SUR LE TAPIS BLANC TOUT BLANC

Je porte une robe de mariée
et je marche en faisant virevolter
le jupon de la robe.
Défilant pour l'assemblée
de curieux imaginaires
qui m'admirent avec passion.
Je flirte un peu
paradoxal de flirter
dans une robe de mariée.
J'aime ça.
Puis soudain
je surprends
mon image
dans le miroir au-dessus du canapé blanc
dans votre séjour blanc tout blanc.
J'en reviens pas de mes seins
dans ce corsage enserré et perlé.
Mon maquillage est parfait.
Pas trop.
Non, subtil, comme tu l'aimes, maman.
Naturel
comme si c'était possible.

Je porte une robe de mariée
pas parce que que j'ai un copain
ou une copine ou parce que je veux me marier.
Le mariage c'est vraiment dépassé.
Mais j'aime cette robe.
Vraiment.
Elle est trop blanche
et gracieuse.
La virginité incarnée
ce que d'ailleurs
je ne suis pas.
Je sais que cela va sans doute vous choquer.
Bref vous entrez tous les deux
Et vous êtes surpris de me voir
dans la robe dans le salon
parce que vous ne saviez pas que je fréquentais
quelqu'un.
Et vous avez peur que je sois lesbienne
vous ne pouvez pas comprendre comment j'aime
ma manière d'aimer.
Mais je vois que la robe vous rend heureux.
La façon dont je me suis coiffée toute jolie.
Mon visage à découvert comme tu aimes.
Et je me tiens très droite
en souriant.
Comme vous me dites toujours
de sourire.
Même si je suis malheureuse
ou timide ou en colère ou déprimée.
Vous me dites
que je suis tellement plus jolie
quand je souris.
Et aujourd'hui je peux sourire

car c'est un jour heureux
un jour tellement heureux.
Et tu commences à me poser une question papa.
Une question à la « je me mêle de ce qui me
    regarde pas ».
Mais avant que tu te lances
je m'allonge tranquillement sur le
tapis moelleux blanc tout blanc.
Le tapis à cause duquel
nous n'avons ni chien ni chat de peur qu'ils
le tachent.
Je m'étends et je lisse le jupon de ma robe
sur le tapis de sorte que le tapis
la robe et le tapis ne font plus qu'un
et que je me mélange
à la blancheur.
Et vous me regardez tous les deux
je vois que vous êtes troublés
Je vois que vous ne savez pas quoi faire.
J'ai une télécommande à la main
je mets *I Don't Care*
ma chanson préférée d'Apocalyptica.
C'est beaucoup trop fort,
vous aimeriez
que je baisse,
mais rien.
Et je suis étendue là à écouter
dans la robe de mariée sur le tapis blanc,
j'adore, j'adore.
Je vois bien que vous êtes
mal à l'aise,
je dirais même un peu
flippés
et la musique grandit et je monte

le volume.
Puis juste quand je vois
que vous êtes prêts à intervenir
je prends ma petite pilule verte fluo
et je vous regarde
droit dans les yeux
et je l'avale
comme ça

Ils ont dit que cela prendrait 30 secondes
et je commence à compter à voix haute
1 2 3 4
j'ai trop hâte
ça va être génial.
Ça va être une de ces surprises
8 9 10
J'aimerais tellement voir vos têtes
14 15 16
Vous n'allez pas y croire
20 21 22
Vous voyez vous aviez tort.
Je peux finir des choses
27 28 29
J'explose
mon corps explose entièrement.

Et il y a du sang et des tripes partout
et ma robe de mariée blanche est un massacre
votre séjour blanc tout blanc ressemble
à l'intérieur de mon corps.
Il y a des morceaux de moi partout

Plus de pression.
Vous ne pouvez pas fouiner et lire mes textos

et je m'en fiche si personne ne m'aime
et je ne porterai plus jamais de cardigan.

Et ce futur s'est envolé
Et je ne peux plus faire d'erreur.

Et puis vous remarquez
qu'il y a une petite goutte de mon sang
sur votre visage
une pointe de sang incongrue
papa, ce sera sur ton front
maman, sur ta joue droite
un petit pense-bête carmin
vous essaierez de l'effacer mais rien
ne marchera
vous essaierez tout
alcool
solvant
je serai indélébile.
Tout le monde vous dira
oh je crois
que vous avez un peu de sang sur le visage
vous vous êtes coupé
ils essaieront de l'effacer
et vous essaierez
de trouver les mots
ma fille
son mariage
c'est-à-dire
la robe
c'est-à-dire
Elle ne voulait
pas
Elle ne savait

pas
ma fille
Elle n'avait que
Nous avions
tort.

JE SUIS UNE CRÉATURE ÉMOTIONNELLE

J'aime être une fille.
Je peux ressentir ce que tu ressens
au moment même où tu ressens
le sentiment
d'avant.
Je suis une créature émotionnelle.
Les choses me viennent
comme des concepts, ou des idées bien taillées.
Elles battent à travers mes organes et mes jambes
et me brûlent les oreilles.
Je sais quand ta copine est très énervée
même si elle semble te donner ce que tu veux.
Je sais lorsqu'une tempête se prépare.
Je peux ressentir les frémissements invisibles dans l'air.
Je sais qu'il ne rappellera pas.
C'est une vibration que je partage.

Je suis une créature émotionnelle.
J'aime ne pas prendre les choses à la légère.
Tout est intense pour moi.
La façon dont je marche dans la rue.
La façon dont ma mère me réveille.
La façon dont je réagis aux mauvaises nouvelles.
La façon dont je déteste perdre.

Je suis une créature émotionnelle.
Je suis connectée à tout et à tous.
Je suis née comme ça.
Et je te défends de dire que c'est un truc d'ado
ou que c'est juste parce que je suis une fille.
Ces sensations me rendent meilleure.
Elles me rendent prête.
Elles me rendent présente.
Elles me rendent forte.

Je suis une créature émotionnelle.
J'ai cette façon particulière de savoir.
C'est comme si les femmes plus âgées avaient oublié.
Je me réjouis que ce soit toujours dans mon corps.

Je sais quand la noix de coco est sur le point de tomber.
Je sais que nous avons poussé la terre à bout.
Je sais que mon père ne reviendra pas.
Que personne n'est prêt pour le feu.

Je sais que le rouge à lèvres ce n'est pas
que de la frime.
Je sais que les garçons n'ont pas confiance en eux
et que les supposés terroristes ne sont pas enfantés
      mais fabriqués.
Je sais qu'un baiser peut emporter
toute ma faculté de penser
et parfois ça serait bien.

Ce n'est pas extrême.
C'est un truc de fille.
Ce que nous serions toutes
si cette porte à l'intérieur de nous s'ouvrait grand.

Ne me dites pas de ne pas pleurer
De me calmer
D'être moins excessive
D'être raisonnable.
Je suis une créature émotionnelle.
C'est ainsi que la terre a été créée.
Que le vent continue à polliniser.
On ne dit pas à l'océan Atlantique
de se contrôler.

Je suis une créature émotionnelle.
Pourquoi est-ce que l'on voudrait me faire taire
ou m'éteindre ?
Je suis la mémoire qu'il te reste.
Je te connecte à ta source.
Rien n'a été dilué.
Rien n'a fui.
On peut y retourner.

J'aime pouvoir ressentir l'intérieur
de tes sentiments,
même si ça ralentit ma vie
même si ça fait trop mal
ou me fait sortir des rails
même si ça brise mon cœur.
Ça me rend responsable.
Je suis émotionnelle
Je suis une créature émotionnelle, dévouée,
incandescente.
Et j'aime, tu m'entends,
j'aime j'aime j'aime
être une fille.

JE DANSE (III)

Je danse pour être là
Je danse pour être claire
Je danse car je le veux, je le peux

Je danse avec les gitans
Dans les églises avec les gens
Je danse avec les sorcières, les fées
et les fous
Je danse au milieu des étendues vertes de la terre
Je danse avec ceux qu'on laisse de côté
Je danse jusqu'à ce que nous soyons tous en sueur.
Je danse sur les tables
Sur les toits
Dans les escaliers
Je danse quand j'ai envie de crier,
griffer, écorcher et cogner

Je danse jusqu'à perdre le contrôle, jusqu'à la folie
Je danse jusqu'à être forte et invaincue
Je danse la frénésie
Je danse le danger
Je danse fille
Je danse, je ne peux pas arrêter
Je danse car je ressens très fort

Je danse car je vous aime
Je vous aime, je vous aime
Ne restez pas plantées là
Les bras croisés
Ma peau est une carte
Mon ventre est en feu
Venez avec moi
Dansez avec moi
Vous toutes
Plus haut
Plus haut

ÉPILOGUE :
MANIFESTE À L'ATTENTION
DES JEUNES FEMMES ET DES FILLES

VOILÀ CE QU'ON TE DIRA :

Trouve un homme
Cherche la protection
Le monde est effrayant
Ne sors pas
Tu es faible
Ne prends pas tout à cœur
Ce sont des animaux
Ne sois pas aussi émotive
Ne pleure pas tant
Ne fais confiance à personne
Ne parle pas aux étrangers
Les gens vont vouloir profiter de toi
Ferme tes jambes
Les filles ne sont pas douées :
Avec les chiffres
Avec les faits
Pour prendre des décisions délicates
Pour soulever des choses
Pour organiser
Pour l'actualité internationale
Pour piloter des avions

Pour diriger.
S'il te viole, capitule,
tu te feras tuer si tu essaies de te défendre
Ne voyage pas seule
Tu n'es rien sans un homme
Ne fais pas le premier pas,
attends qu'il te remarque
Ne parle pas si fort
Suis le mouvement
Obéis aux lois
Ne sois pas trop savante
Baisse d'un ton.
Trouve un riche
C'est ton apparence qui compte,
pas ce que tu penses.

VOILÀ CE QUE JE TE DIS :

Ce ne sont que des mensonges
Personne ne commande, sauf
ceux qui le prétendent
N'attends personne
Personne ne viendra te sauver
Ne devinera tes besoins
Ne connaîtra ton corps mieux que toi

Rebelle-toi toujours
Exige
Dis que tu le veux
Aime ta solitude
Prends le train toute seule, va
où tu n'es jamais allée
Dors seule à la belle étoile
Apprends à conduire

N'aie pas peur de partir loin
N'aie pas peur de ne pas revenir
Dis non quand tu ne veux pas
Dis oui si ton instinct te guide
même si personne n'approuve
Décide si tu veux être aimée ou admirée
Décide si tu veux suivre le mouvement ou
        comprendre
ce que tu fais ici
Crois aux baisers
Bats-toi pour la tendresse
Ne retiens pas tes sentiments
Pleure tant que tu le veux
Fais du monde une scène
et savoure le spectacle
Prends ton temps
Va aussi vite que tu veux
tant que cette vitesse est la tienne
Pose-toi ces questions :
Pourquoi je chuchote quand j'ai quelque chose à
        dire ?
Pourquoi je mets un point d'interrogation à la fin
de chacune de mes phrases ?
Pourquoi je m'excuse à chaque fois que j'exprime
        mes besoins ?
Pourquoi je me recroqueville ?
Je m'affame alors que j'adore manger ?
Je fais semblant que ce n'est pas si important ?
Je me fais du mal au lieu de hurler ?
Pourquoi attendre
Pleurnicher
Se languir
S'adapter ?
En fait la vérité :

Parfois ça fait très mal
Les chevaux peuvent ressentir l'amour
Ta mère voulait plus
Il est plus facile d'être méchante qu'intelligente
Mais ce n'est pas ce que tu es.

REMERCIEMENTS

Je remercie les personnes qui ont lu, nourri ou contribué à l'existence de cette *Créature émotionnelle* : Allison Prouty, Amy Squires, Beth Dozoretz, Brian McLendon, Cari Ross, Carol Gilligan, Cecile Lipworth, Christine Schuler Deschryver, Diana DeVegh, Donna Karan, Emily Scott Pottruck, Elizabeth Lesser, George Lane, Golzar Selbe, Ilene Chaiken, James Lecesne, Jane Fonda, Kate Fisher, Judy Corcoran, Kate Medina, Katherine McFate, Kerry Washington, Kim Guzowski, Laura Waleryszak, Linda Pope, Marie-Cécile Renauld, Mark Matousek, Mellody Hobson, Meredith Kaffel, Molly Kawachi, Nancy Rose, Naomi Klein, Nicoletta Billi, Nikki Noto, Pat Mitchell, Paula Allen, Purva Panday, Rada Boric, Rosario Dawson, Salma Hayek, Shael Norris, Sheryl Sandberg, Susan Swan.

Je remercie Frankie Jones pour ses conseils et sa confiance en ce livre, et Jill Schwartzman pour m'avoir apporté tellement d'énergie et de soutien.

Je remercie Charlotte Sheedy d'être à mes côtés depuis plus de trente ans, pour son ardeur et son amour.

Je remercie Kim Rosen pour ces longues nuits à écouter encore et encore, et Tony Montenieri pour sa fidélité et son attention profonde envers moi.

Je remercie mon fils, Dylan, pour avoir libéré mon cœur, et ma mère, Chris, pour m'avoir mise au monde.

Je voudrais remercier ces jeunes filles courageuses et brillantes à travers le monde qui ont inspiré ce livre.

Je voudrais aussi remercier un groupe de jeunes filles talentueuses qui ont généreusement donné d'elles-mêmes pour accompagner l'histoire de ce livre.

CERCLE CONSULTATIF DES V-GIRLS

Lyn Mikel Brown
Marie Celestin
Carol Gilligan
Lynda Kennedy
Kelly Kinnish
Michele Ozumba
Cydney Pullman

Jule Jo Ramirez
Lillian Rivera
Sil Reynolds
Deborah Tolman
Niobe Way
Emily Wylie

AUTRES CONTRIBUTEURS

Yalitiza Garcia
Nicole Butterfield
Maureen Ferris

Lisa Beth Miller
Jennifer Gandin Le
Christopher Gandin Le

SOURCES DES FAITS

Ton poumon gauche : U.S. Department of Health & Human Services, National Institutes of Health, National Heart, Lung and Blood Institute, "Diseases and Conditions Index: Lung Diseases: How the Lungs Work" (www.nhlbi.nih.gov/health/dci/Diseases/hlw/hlw_all.html).

Au collège, 1 fille sur 5 : Girls Inc. press release, "The Super-girl Dilemma: Girls Grapple with the Mounting Pressure of Expectations," 12 octobre 2006.

Malgré de nombreuses études : Douglas Kirby, *Emerging Answers: Research Findings on Programs to Reduce Teen Pregnancy* (Washington, D.C.: National Campaign to Prevent Teen Pregnancy, 2001); Peter S. Bearman and Hannah Brückner, "Promising the Future: Virginity Pledges and First Intercourse," *American Journal of Sociology*, vol. 106, n° 4, 2001, p. 859-912; Hannah Brückner and Peter Bearman, "After the Promise: the STD Consequences of Adolescent Virginity Pledges," *Journal of Adolescent Health*, vol. 36, n° 4, 2005, p. 271-278.

6 adolescents américains sur 10 : Ellen Goodman, "The Truth About Teens and Sex," *The Boston Globe*, 3 janvier 2009.

En Afrique, chaque année, près de 3 millions de filles : Nahib Toubia, *Caring for Women with Circumcision: A Technical Manual for Health Care Providers* (New York: Research, Action and Information Network for the Bodily Integrity of Women RAINBO, 1999).

Des études ont montré : Sumru Erkut and Allison J. Tracy, *Sports as Protective of Girls' High-Risk Sexual Behavior* (Wellesley, Mass.: Wellesley Centers for Women, 2005).

Quand, au cours de l'émission : Sandra Solovay, *Tipping the Scales of Justice: Fighting Weight-Based Discriminations* (Amherst, N.Y.: Prometheus Books, 2000).

Le taux de mortalité associé à l'anorexie mentale : South Carolina Department of Mental Health, "Eating Disorder Statistics" (www.states.sc.us/dmh/anorexia/statistics.htm).

Environ 1 fille sur 3 : Alabama Coalition Against Domestic Violence (www.acadv.org/dating.html).

Les filles entre 13 et 18 ans : Unicef, "Gender Equality: The Situation of Women and Girls: Facts and Figures" (www.unicef.org/gender/index_factsandfigures.html).

Barbie a été inspirée : Russ Kick, *50 Things You're Not Supposed to Know, Volume 2* (New York: The Disinformation Company, 2004).

Un nouveau rapport a établi : Save the Children, Especially Vulnerable Children: Child Soldiers (www.voanews.com/english/archive/2005-04/2005-04-25-voa27.cfm).

On estime à 100 millions : International Labour Organization, International Programme on the Elimination of Child Labour, "World Day 2009: Give Girls a Chance: End Child Labour" (www.ilo.org/ipec/Campaignandadvocacy/WDACL/WorldDay2009/lang--en/index.htm).

Plus de 900 millions de filles et de femmes : Plan's "Because I Am a Girl" campaign, "The Facts" (www.plan-uk.org/becauseiamagirl/thefacts.)

NOTES
(Toutes les notes sont de la traductrice.)

1. Ivy League : groupe de huit universités privées du nord-est des États-Unis. Elles sont parmi les universités les plus anciennes du pays et les plus prestigieuses. Le terme Ivy League a des connotations d'excellence scolaire ainsi que d'élitisme social.

2. VPH : virus du papillome humain. Virus notamment responsable des infections sexuellement transmissibles les plus fréquentes.

3. Les six de Jena (*Jena Six*) : nom donné à un groupe de six adolescents noirs de Jena (Louisiane) arrêtés en décembre 2006, accusés d'avoir frappé un étudiant blanc de la Jena High School.

4. Detroit : ville du Michigan où éclatèrent le 23 juillet 1967 des émeutes souvent considérées comme les plus sanglantes et destructrices des États-Unis (43 morts, 467 blessés, plus de 2 000 bâtiments détruits).

5. Watts : quartier noir de Los Angeles, où eurent lieu d'importantes émeutes raciales en août 1965 (34 morts, 11 000 blessés, 4 000 arrestations, 977 bâtiments détruits ou endommagés) et en avril 1992 (plus de 50 morts, près de 2 400 blessés, 1 100 bâtiments détruits...).

6. Lower Ninth : quartier pauvre de La Nouvelle-Orléans dévasté par l'ouragan Katrina en 2005.

7. Soweto : township près de Johannesburg (Afrique du Sud). Le 16 juin 1976, la répression violente d'une manifestation d'adolescents est à l'origine d'émeutes dont

le bilan demeure incertain (officiellement 23 morts, mais on parle de plus de 500). Soweto est devenu un symbole de la lutte contre l'apartheid.

8. Kibera : bidonville de Nairobi (Kenya), un des plus grands d'Afrique.

9. *Eastland* : navire de croisière qui chavira en juillet 1915 dans la rivière Chicago avec à bord 2 500 employés de la Western Electric partant pour un pique-nique à Michigan (845 morts).

10. Dharavi : bidonville près de Bombay (Inde), considéré comme le plus grand d'Asie.

11. *20/20* : magazine de la chaîne américaine ABC, créé en juin 1978 et toujours à l'antenne (vendredi, 22 h).

12. Eldoret : lieu de violences tribales. Le 1er janvier 2008, lors des émeutes qui suivent la réélection du président Mwai Kibaki, l'église d'Eldoret, où s'étaient réfugiées des centaines de Kikuyus (ethnie de Kibaki), est incendiée (près de 40 morts). Des milliers de Kikuyus fuient la vallée du Rift.

13. Saris Roses : gang d'Indiennes engagées qui se battent contre les violences faites aux femmes ou les inégalités sociales à l'aide d'un *lathi*, bâton employé pour l'autodéfense. Elles tiennent leur nom du sari rose qu'elles portent.

14. Peshmergas : combattants kurdes autonomistes. Les militantes, formées militairement, ont participé aux opérations de libération du territoire kurde irakien. Depuis l'autonomie, leurs brigades luttent contre l'analphabétisme, etc.

15. Cindy Sheehan : activiste pacifiste américaine, devenue l'emblème du mouvement anti-guerre depuis sa lutte acharnée contre la guerre d'Irak en 2005-2007.

16. Malalai Joya : députée afghane militant pour le droit des femmes. En 2003, au cours d'une assemblée de la Loya Jirga, elle n'hésite pas à dénoncer les injustices auxquelles sont soumises les femmes de son pays.

17. Rachel Corrie : volontaire américaine tuée dans la bande de Gaza par un tank israélien.

18. Aung San Suu Kyi : femme politique birmane. Pour avoir défendu la mise en place d'un régime démocratique, elle est assignée à résidence de 1989 à 2010 par la junte militaire au pouvoir. Elle obtient le prix Nobel de la paix en 1991.

19. Neda Agha-Soltan : jeune femme iranienne tuée par balle au cours d'une des manifestations de protestation qui ont suivi le résultat contesté de l'élection présidentielle iranienne de 2009.

20. *Freegan* : adepte du freeganisme, ou glanage alimentaire, mode de vie alternatif visant à limiter sa participation dans le système économique ou la société de consommation.

21. Bella Abzug : leader du mouvement féministe américain tout au long du xxᵉ siècle.

22. Ellen Johnson Sirleaf : femme politique libérienne, première femme élue à la présidence d'un pays africain en 2005.

23. Arundhati Roy : romancière indienne et activiste pacifiste. Elle obtient le Booker Prize en 1997.

24. Julia Butterfly Hill : pour empêcher l'abattage d'un séquoia géant, cette jeune écologiste américaine a vécu deux ans dans la cime de l'arbre sans poser le pied à terre. Depuis, elle poursuit son activisme dans le monde entier.

POUR EN PARLER ENSEMBLE

Si vous avez été intéressé par la lecture de *Je suis une créature émotionnelle*, si vous avez envie d'en parler avec vos amis ou de lancer un groupe de réflexion, le guide qui suit est là pour vous aider à explorer le livre, à réfléchir et à échanger. Vous souhaitez en savoir plus sur les groupes de discussion ou vous mettre en contact avec d'autres lecteurs ?
Rendez-vous sur www.v-girls.org.

VOUS, DITES-MOI COMMENT ÊTRE UNE FILLE EN 2011

- Que signifie être une fille aujourd'hui ?
- Qu'est-ce qui vous met en colère ? Qu'est-ce qui vous inspire ?
- Comment pouvez-vous être l'acteur d'un changement dans le monde ?
- Percevez-vous une différence entre les « possédants » et les « démunis » dans le monde ? Qu'en pensez-vous ? Avez-vous une solution ?
- Renseignez-vous sur les références du texte que vous ne connaissiez pas et partagez ce que vous avez appris avec votre groupe.

• Avez-vous déjà voulu faire partie d'un groupe, ou vous êtes-vous déjà sentie exclue ? Avez-vous déjà exclu certaines personnes ?

• Pourquoi veut-on s'adapter ou exclure d'autres personnes ?

• Pourquoi a-t-on peur d'être différente ?

• Que serait le monde sans les brutes, les bandes ou la pression de l'entourage ?

• Quelles sont les conséquences de l'exclusion ? Avez-vous des exemples à citer dans votre école ou votre quartier ?

QU'EST-CE QUE TU N'AIMES PAS DANS LE FAIT D'ÊTRE UNE FILLE ?

• Répondez à la question posée par ce texte : Qu'est-ce qui ne vous plaît pas dans le fait d'être une fille ?

• Est-ce que les filles peuvent faire avancer les choses ?

• Peut-il y avoir des choses positives dans le fait d'être une « mauvaise fille » ? Peut-il y avoir des choses négatives dans le fait d'être une « fille bien » ?

• Comment pouvez-vous donner plus d'importance à ce qui vous plaît en vous ?

MAUVAIS GARÇONS

• Comment le personnage du texte essaie-t-il de gérer ses émotions ?

• Est-ce que vos parents ont des attentes irréalistes sur votre avenir ?

• Vers qui avez-vous l'impression de pouvoir vous tourner en cas de problème ?

• Pourquoi pensez-vous que le personnage choisit un petit ami qui est quelqu'un de « mauvais » ?
• Avez-vous déjà été tentée par un « mauvais garçon » ? Comment vous êtes-vous comportée ?

CE QUE J'AIMERAIS POUVOIR DIRE À MA MÈRE

• Vous sentez-vous incomprise par vos parents, votre famille ? De quelle façon ?
• Quelles questions aimeriez-vous poser à votre mère ?
• Qu'est-ce que vous aimeriez que votre mère sache sur vous ?
• En quoi les relations mères / filles peuvent-elles représenter un défi ?

CE N'EST PAS UN ÊTRE, C'EST UN PEUT-ÊTRE

• Comment le fait d'affronter l'inconnu fait-il resurgir toutes sortes d'émotions ?
• Comment le fait d'affronter l'inconnu conjure-t-il vos plus grandes craintes ?
• Si vous étiez à la place de ce personnage, où iriez-vous pour demander de l'aide ?
• Pensez-vous qu'on apprenne assez de choses aux jeunes sur la sexualité et les moyens de contraception ?

C'EST QUOI UNE FILLE BIEN ?

• Comment définiriez-vous une « fille bien » ?
• Pensez-vous en être une ? Expliquez.

• Vous a-t-on déjà dit que vous ne pouviez pas faire quelque chose ou avez-vous été traitée différemment parce que vous êtes une fille ?

• Comment l'éducation peut-elle être une opportunité pour les filles ?

TU PRÉFÈRES

• Vous arrive-t-il de devoir faire des choix même si vous n'aimez aucune des options qui vous sont proposées ? Que faites-vous face à cette situation ?

• Vous sentez-vous par moments victime de pressions de la part de vos amis pour prendre une décision difficile ?

• Comment faites-vous la paix avec vous-même alors qu'il semble y avoir plus de questions que de réponses ?

STÉPHANISÉE

• Avez-vous déjà eu le « béguin » pour une fille ?

• Est-ce qu'avoir le béguin pour une fille est nécessairement sexuel ?

• Que pensez-vous du personnage qui ne s'identifie ni comme homosexuel ni comme hétérosexuel ? Qu'en pense la société à votre avis ?

MOUVEMENT VERS LE PANIER

• Quelles identités avez-vous « esquivé ou embrassé avec trop de force » ?

- Comment le sport peut-il donner plus de pouvoir aux filles ?
- Avez-vous pratiqué certains sports ? Cela a-t-il eu un impact sur votre comportement ?
- Quels stéréotypes entend-on souvent sur les athlètes féminines ?
- Que signifierait pour vous le fait de perdre votre identité ? d'en changer ?

CE QUE JE SAIS SUR LE SEXE

- Où pensez-vous que la plupart des jeunes trouvent des informations sur le sexe ?
- Vers qui vous tournez-vous lorsque vous avez des questions sur le sexe ?
- Pourquoi pensez-vous qu'il est important que les filles soient informées sur le sexe ?

JE DANSE

- Qu'est-ce que la danse vous fait ressentir ?
- Faites-vous de la danse ? Pourquoi ou pourquoi pas ?
- Si vous en faites, pour qui ou pour quoi dansez-vous ?
- De quelles façons exprimez-vous votre joie, votre tristesse ou votre colère ?
- Comment pouvez-vous apprendre sur vous-même ou sur les autres à travers la danse ?

JE L'AI CONSTRUIT AVEC DES PIERRES

- Que signifie « sacré » ?
- Qu'est-ce qui est sacré pour vous ? À quoi êtes-vous dévouée ?

• Comment exprimez-vous votre dévouement ?
• Le dévouement est-il forcément quelque chose de religieux ? Pourquoi ou pourquoi pas ?

BLOG DE LA FAIM

• Que signifie « la beauté est un pays encerclé de portes » ? Ressentez-vous cela parfois ?
• Qu'est-ce que vous aimez manger ? Vous sentez-vous parfois angoissée par le fait de manger ?
• Quel avis donneriez-vous à une fille qui se bat contre des désordres alimentaires ?
• Pourquoi pensez-vous que tellement de filles n'aiment pas ce qu'elles voient dans le miroir ?

LA BLAGUE SUR MON NEZ

• Quelle partie de votre corps les gens remarquent-ils en premier à votre avis ?
• Pensez-vous que « les gens drôles profitent de tout » ?
• Pourquoi, à votre avis, le personnage a besoin ou veut faire une blague sur son nez ?
• Que pensez-vous des jeunes femmes qui ont recours à la chirurgie esthétique ?
• Pensez-vous subir des pressions pour ressembler à une autre que vous-même ? D'où viennent ces pressions ?

CHÈRE RIHANNA

• Que signifie pour vous une relation saine ?
• Pourquoi pensez-vous qu'il est difficile pour une personne victime d'une relation violente de partir ou d'y mettre un terme ?

• Pensez-vous qu'une personne violente puisse changer ?

• Avez-vous déjà eu envie d'appuyer sur une touche « effaçage automatique de mec » ?

• Quel rôle ont les célébrités dans votre vie ? Comment êtes-vous influencée par elles ?

IL ME RESTE 35 MINUTES AVANT QU'IL NE VIENNE ME CHERCHER

• Quel est le rôle du pouvoir et de la peur dans ce monologue ?

• Comment le pouvoir et la peur peuvent-ils amener à la violence ?

• En quoi le personnage du monologue fait-il preuve de courage ?

• Comment feriez-vous face à une telle situation ?

LIBÉREZ BARBIE

• Avez-vous jamais joué à la Barbie ? A-t-elle influencé votre vie d'une façon ou d'une autre ?

• Quel est le message de Chang Ying ?

• Que pensez-vous de la comparaison faite par Chang Ying entre « la maison des rêves » de Barbie et la « maison des cauchemars » où elle vit ?

• Que pensez-vous qu'une Barbie « libérée » pourrait faire ou dire ? Serait-elle différente ?

• Ce monologue vous fait-il porter un regard différent sur Barbie ?

• Quels sont les points communs et les différences des personnages de ce monologue ? Quel est leur lien ?

• Comment les personnages font-ils face à ce que l'on attend d'eux ?

• Quelles peuvent être les conséquences de revendiquer les choses auxquelles vous croyez ? Cela changerait-il vos actions ?

• Que savez-vous du conflit israélo-palestinien ?

• Qu'aimeriez-vous savoir de plus ?

LE MUR

• Vous êtes vous déjà sentie prisonnière de votre propre vie ? Pourquoi ? Comment réagissez-vous face à ce sentiment ?

• Comment vivez-vous le fait de soutenir une cause à laquelle vous croyez, même si celle-ci n'est pas populaire ?

• À votre avis, comment vit-on le fait d'être jeune et d'habiter dans une zone de conflit ?

GUIDE DE SURVIE D'UNE ADOLESCENTE FACE À L'ESCLAVAGE SEXUEL

• De quelle façon pensez-vous que les règles partagées par le personnage s'appliquent « à n'importe quelle fille dans le monde » ?

• Où le personnage trouve-t-il l'espoir malgré cette situation affreuse ? Lui arrive-t-il de perdre espoir ?

• Comment comprenez-vous son message : « Personne ne peut te prendre la moindre chose si tu ne la lui donnes pas » ?

• En quoi ce personnage est-il une rescapée ? En quoi pouvez-vous, vous aussi, être une rescapée ?

OPPOSANTES

• Que signifie être « une opposante » ?
• Quelles sont les opposantes qui vous inspirent ?
• Apprenez-en plus sur les femmes dont il est question dans le monologue. Par laquelle de celles-ci ou par quel combat vous sentez-vous concernée ?
• Comment pouvez-vous être une opposante dans la vie de tous les jours ?
• Pensez-vous que les jeunes peuvent avoir un impact en tant qu'opposantes ?

POURQUOI TU AIMES ÊTRE UNE FILLE ?

• Qu'est-ce qui vous plaît le plus dans le fait d'être une fille ?
• Quelles sont les idées reçues sur les filles ?`

POSER LA QUESTION

• Pourquoi est-ce difficile de « poser la question » de l'utilisation d'un contraceptif avec son partenaire sexuel ?
• Pensez-vous que les garçons ne veulent pas mettre de préservatifs ? Pourquoi ?
• Quel avis donneriez-vous à une amie qui doit « poser la question » ?
• Vous arrive-t-il d' « inventer les gens » et d'imaginer ce que les autres pensent ou ressentent, comme le personnage du monologue le fait ?

• Quelle est la place de l'honnêteté dans une relation saine, romantique ou sexuelle ?

LES CHOSES QUE J'AIME DANS MON CORPS

• Qu'aimez-vous dans votre corps ?
• Qu'est-ce qui vous fait vous sentir forte et sûre de vous ?
• Quelles influences peuvent affecter la façon dont les filles se sentent dans leur corps ?
• Comment serait le monde si nous aimions et appréciions chaque personne telle qu'elle est ?

MA MINI-JUPE

• Comment pouvez-vous combattre l'idée que les filles « en demandent » si elles sont habillées d'une certaine façon ?
• À quoi ressemblent les femmes dans la vie de tous les jours en comparaison à l'image renvoyée par les médias ? En quoi cela vous influence-t-il ?
• Que trouvez-vous beau dans la vraie vie ?
• Comment votre façon de vous habiller exprime-t-elle le défi ou la prise de pouvoir ?

DES CHOSES QUI ME DONNENT DU PLAISIR

• Quelles sont les choses qui vous donnent du plaisir ?
• Avez-vous parfois l'impression de faire certaines choses seulement pour faire plaisir aux autres ?
• Comment pouvez-vous vous concentrer sur ce qui vous donne du plaisir, plutôt que de chercher à plaire aux autres ?

JE SUIS UNE CRÉATURE ÉMOTIONNELLE

- Qu'est-ce qu'une créature émotionnelle ?
- En quoi êtes-vous une créature émotionnelle ?
- A-t-on cherché à vous faire taire, à vous éteindre ?
- Vous a-t-on déjà dit que vous étiez trop ceci ou trop cela ? trop intense, sauvage, affectueuse, énervée, idéaliste, etc. ? Comment réagissez-vous à ces remarques ?
- Que se passerait-il si vous laissiez la porte en vous s'ouvrir en grand ? Que se passerait-il si nous le faisions toutes ?

ÉPILOGUE : MANIFESTE À L'INTENTION DES JEUNES FEMMES ET DES FILLES

- Comment parvenir à laisser votre cœur ouvert ?
- Quels sont vos espoirs et vos rêves ? Qui voulez-vous être, où voulez-vous aller et que voulez-vous apprendre ?
- Comment pouvez-vous rester entière alors que tant d'autres voudraient que vous fassiez ceci, que vous soyez cela ?
- En quoi voulez-vous être une activiste dans le monde ?
- Quels problèmes et quelles causes sont importants pour vous ?